D0286804

La destinée de Kyla

Shana
ABÉ

La destinée
de Kyla

ROMAN

*Traduit de l'américain
par Daniel Garcia*

Titre original
THE PROMISE OF RAIN

Éditeur original
A Bantam book published by Bantam Books, a division of Bantam
Doubleday Dell Publishing Group, Inc., New York

© Shana Abé, 1998

Pour la traduction française
© Éditions J'ai lu, 2009

Pour mon père, Ted, un solide Texan avec le cœur le plus adorable qui soit. Je t'aime, papa. Et mes plus vifs remerciements à Darren pour sa patience, et tous ces dîners pris très tard ; ainsi qu'à ma mère et à tout le reste de la famille pour leur soutien indéfectible. Et bien sûr, rien de tout cela n'aurait été possible sans l'aide de Ruth Kagle et de Stephanie Rip. Puisse l'histoire de Kyla et de Roland toucher mes lecteurs.

Prologue

La silhouette drapée de noir se fondit avec une telle aisance dans la pénombre de la chambre qu'on aurait juré qu'elle était habituée à se mouvoir furtivement.

Prudence, l'ennemi est là, se dit Roland qui s'obligeait à demeurer parfaitement immobile pour feindre le sommeil.

Il observait la silhouette à travers ses paupières à peine entrouvertes. Toutes ces heures passées à attendre avaient menacé de l'épuiser, mais brusquement il se sentait en parfaite possession de ses moyens. Sa mission serait bientôt terminée.

Les dernières braises rougeoyantes du feu, dans la cheminée, ne dispensaient qu'une très faible lumière. Assez cependant pour que Roland puisse voir l'intrus s'approcher du lit où il était couché.

Il s'étira, laissant échapper un petit soupir, comme une personne endormie. L'intrus recula aussitôt dans l'ombre.

Bon, se dit Roland, mettons un peu ta patience à l'épreuve, mon ami. Combien de temps vas-tu rester ainsi sur tes gardes ?

Après de longues minutes, il vit la silhouette reprendre sa progression vers le lit. Et vers le coffret.

Les pas de l'intrus crissaient légèrement sur la paille recouvrant le plancher. D'ordinaire, Roland détestait cela, mais pour une fois il n'avait qu'à s'en réjouir, et il remercia silencieusement la servante qui avait répandu cette paille sur le sol.

L'intrus, en revanche, devait la maudire. Il était obligé de suspendre chaque pas pour faire le moins de bruit possible.

Roland l'attendait avec la patience du chasseur guettant son gibier. Il avait laissé le coffret en évidence sur la table, son couvercle à moitié entrouvert laissant dépasser un bout du parchemin convoité. S'il avait été le voleur, Roland se serait tout de suite méfié en voyant le coffret ainsi offert au regard, comme une invitation à s'en saisir. Il aurait flairé le piège et aurait rebroussé chemin.

Mais, par chance, sa proie ne semblait pas raisonner ainsi. À moins qu'il se trompât ?

L'intrus s'était arrêté à mi-chemin de la table. Comme s'il éprouvait soudain des doutes.

Avance, l'implora Roland. Avance, l'ami…

Son adversaire était trop loin pour qu'il puisse lui bondir dessus.

Mais brusquement, l'intrus se tourna vers le lit. Et avant que Roland ait pu réagir, il se précipita sur lui et plaqua la lame de sa dague sur sa gorge.

— Donnez-moi une raison de ne pas vous tuer, murmura-t-il, brisant du même coup le silence.

Roland ouvrit grands les yeux, regardant d'abord la lame parfaitement polie, puis le visage, masqué, du renégat qu'il poursuivait depuis bientôt six mois.

— Parce que, sans moi, vous ne tarderiez pas à mourir, répliqua-t-il.

— Mais vous me précéderez dans la mort, milord, répondit son assaillant.

Sa voix manquait bizarrement de timbre. Roland mit cela sur le compte de sa jeunesse.

La dague glissa délicatement sur sa gorge. Jeune ou pas, le scélérat savait parfaitement se servir d'une lame. Roland sentit une goutte de sang couler dans son cou.

— Quelle importance pour moi de mourir? continua le jeune homme. Vous partirez de toute façon le premier. Et je puis vous assurer que ce ne sera pas sans souffrir.

— Vous ne souhaitez pas mourir, Alister, lui opposa Roland.

L'utilisation de son prénom parut quelque peu ébranler son agresseur. La lame tressaillit légèrement, lui causant un élancement que Roland s'obligea à ignorer.

— Vous ne pouvez pas vous permettre de mourir, reprit-il. Pas déjà. Je détiens quelque chose que vous convoitez.

Le jeune homme s'était ressaisi et contrôlait de nouveau parfaitement ses émotions. Il n'eut pas même un regard pour le coffret sur la table.

Doux Jésus! songea Roland en discernant la lueur implacable qui brillait dans ses yeux. Il est sérieux! Il veut vraiment me tuer.

Et ce constat le fit sourire, car son légendaire sens de l'humour savait se manifester en toute occasion. Après les innombrables épreuves qu'il avait dû surmonter au cours de son existence, se faire tuer par ce jouvenceau serait pour le moins ironique.

— Êtes-vous sûr de ne pas la vouloir, Alister? demanda-t-il. Bouderiez-vous la lettre qui pourrait sauver votre père?

La pointe de la dague menaçait dangereusement son artère.

— J'ai appris beaucoup de choses, répondit Alister de sa voix légère. Des choses passionnantes. Y compris l'usage qu'on peut faire d'une lame. Je pourrais, par exemple, vous couper la langue. Ce qui est une façon radicale de réduire au silence ceux qui parlent trop. Je pourrais aussi vous inciser la trachée. Ce qui serait plus facile, mais tout aussi douloureux et efficace, croyez-moi.

— La lettre, dit Roland. Votre sœur.

— Oui, bien sûr. Vous aimeriez échanger la lettre contre Kyla, n'est-ce pas ? Mais dites-moi, lord Strathmore : qu'est-ce qui vous fait penser que je serais prêt à marchander ma sœur contre un bout de parchemin ?

Roland réussit à sourire.

— Parce qu'elle m'aime bien.

— Vraiment ? répliqua le jeune homme, amusé. Elle ne m'a jamais mentionné ce détail.

— Peut-être ne voulait-elle pas attiser votre rancune, et risquer d'être tuée dans un débordement de rage ?

— Ma *rancune* ? répéta Alister d'une voix méprisante. Mais comment quelqu'un qui a tout perdu pourrait-il se contenter d'être rancunier ? Je suis venu chercher vengeance, Strathmore. Et la vengeance est autrement plus voluptueuse que la rancune.

Le moment était venu de passer à l'action. D'un revers de main bien ajusté, Roland envoya la dague valser à travers la pièce, avant de bondir hors du lit. Il étouffa le cri de détresse du jeune homme en plaquant une main sur sa bouche, tandis que de l'autre il le saisissait au torse, le soulevant sans peine du sol.

12

Il prit vaguement conscience qu'Alister était beaucoup plus léger qu'il ne s'y était attendu, et que celui-ci ne pourrait donc pas lui opposer une réelle résistance. Cependant, il le serra violemment pour lui murmurer à l'oreille :

— Écoute-moi bien, mon garçon. Ne cherche pas à te défendre. Il y a des gardes partout, tu le sais bien. Ne fais pas l'idiot !

Ces paroles semblèrent avoir un réel impact, car Alister se figea brusquement. Son cœur cognait si fort dans sa poitrine que Roland en percevait les battements. Et tout son corps était agité d'un tremblement perceptible. Quelqu'un de moins avisé aurait juré que c'était la peur qui le faisait trembler ainsi. Mais Roland était convaincu qu'Alister n'avait pas peur de lui.

Il tremblait tout simplement parce qu'il enrageait de colère.

Cependant, il y avait un mystère. Outre que le jeune homme pesait moins lourd qu'il ne l'aurait pensé, les courbes de son corps, maintenant que Roland le pressait contre lui, n'évoquaient pas du tout celles d'un homme – même très jeune…

— Ah ! s'exclama Roland.

Le puzzle se mettait tout à coup en place avec la clarté de l'évidence. Roland se servit de la main qui bâillonnait son adversaire pour lui ôter d'un coup sec sa cagoule.

Son geste libéra une cascade de cheveux. Ils étaient roux, constata Roland en relâchant sa proie. Pas de ce roux orangé qu'on rencontrait d'ordinaire chez les Écossais, mais un vrai roux, riche et profond. Un peu comme la robe d'un renard, songea Roland. Un renard magnifique. Et furieux.

Sa distraction faillit lui coûter cher. Il vit un bras jaillir, une fraction de seconde avant d'être frappé en pleine mâchoire. Il recula d'un pas sous l'impact.

— Ah ! s'exclama encore Roland Strathmore, comte de Lorlreau, en se massant le menton. Lady Kyla, j'imagine ? Croyez bien que je suis ravi de faire enfin votre connaissance.

1

Un arc-en-ciel venait danser sur la feuille de parchemin, projetant son spectre coloré sur les caractères écrits à l'encre noire.

— Arrête, Alister, s'il te plaît, murmura Kyla Warwick d'un ton distrait.

Elle essayait vainement de comprendre le sens du texte figurant sur le parchemin.

— Je peux te dire ce qu'il contient, assura son jeune frère, tournant à la lumière le prisme de cristal qu'il tenait à la main. J'ai entendu oncle Malcolm en parler.

L'arc-en-ciel se figea sur un mot. Kyla sursauta.

— Strathmore ! murmura-t-elle. Lord Strathmore, comte de Lorlreau…

La jeune femme plongea son menton dans ses mains et laissa son regard errer sur le paysage que découpait la fenêtre : quelques humbles chaumières au premier plan, puis des collines verdoyantes et, bouchant l'horizon, la ligne des montagnes aux crêtes enneigées.

Ce décor idyllique masquait la réalité. Kyla ne pouvait rien voir des troubles qui menaçaient le comté. Aucun soldat anglais ne montait à l'assaut du manoir. Et l'on pouvait penser que les paysans de son oncle vaquaient tranquillement à leurs occupations quotidiennes. Les collines paraissaient paisibles, et seul un panache de fumée s'échappant de la cheminée d'une chaumière trahissait une présence humaine.

Pourtant, Kyla savait que les soldats rôdaient alentour, prêts à l'attaque. Et les paysans, de leur côté, s'activaient pour affûter leurs faux et autres outils, afin de s'opposer à eux.

— Tu ne m'as pas encore remercié pour avoir chipé cette lettre, observa Alister qui continuait de jouer avec le prisme.

— Merci.

— De rien.

Kyla relut la signature de la lettre, puis soupira. Alister posa le prisme sur le bureau et lui prit le bras.

— Ne t'inquiète pas, Kyla. Nous ne le laisserons pas t'avoir.

La jeune femme se tourna vers le visage mangé de taches de rousseur du seul membre de sa famille qu'il lui restait. Il était si jeune – douze ans ! Beaucoup trop jeune, en tout cas, pour être confronté à cette angoisse qui se devinait au fond de ses yeux bleus.

— Je ne m'inquiétais pas, Alister. Je réfléchissais, c'est tout.

— Je ne le laisserai pas t'avoir, répéta-t-il.

— Non, je sais. Mais c'est moi qui irai le chercher.

Alister relâcha son bras. Il semblait partagé entre le désir, digne d'un adulte, de la protéger, et une envie puérile de se réfugier dans ses bras. Et de toute évidence, il se débattait avec lui-même pour ne pas céder à cette dernière tentation.

Elle esquissa un sourire.

— Je sais que tu ferais tout pour moi. Tu l'as déjà amplement prouvé. Pourtant, la tâche n'est pas facile ! On jurerait que j'ai un don pour me jeter dans les ennuis.

— Non, c'est faux, répliqua Alister d'un ton pénétré. En général, tout se passe bien avec toi. Tes ennuis ne sont que très récents.

Cette fois, Kyla sourit tout à fait, et elle l'attira dans ses bras pour le serrer contre elle. Comme elle aurait voulu qu'il n'ait pas à renoncer déjà à l'insouciance de l'enfance !

— Oui, mais tu m'as aidée à garder la tête froide. Je ne sais pas ce que je deviendrais sans toi.

Elle regretta aussitôt ces paroles, car Alister se figea dans ses bras.

— Dis-moi que nous ne serons jamais séparés, murmura-t-il. Que tu seras toujours là, avec moi.

— Mais oui, mon chéri. Je serai toujours avec toi. N'aie aucune crainte.

Elle aurait voulu en dire plus pour le rassurer, mais son propre chagrin lui obstruait la gorge.

Leur mère, qu'ils avaient tant aimée, avait été assassinée. Leur père, tout aussi chéri, l'avait suivie dans la tombe quelques semaines plus tard, malgré tous les soins de Kyla. À présent, c'était à elle qu'incombait la responsabilité de protéger son frère. Elle était l'aînée – de six ans. Et c'était elle qui avait décidé de venir en Écosse. Mais cette fuite, au cœur de l'hiver, les avait épuisés tous les deux.

À présent, il fallait en finir. Quel que soit le prix à payer. Et cette lettre de Roland Strathmore lui donnait un moyen d'y parvenir.

— Tu ne mourras pas, assura Alister avec véhémence, serrant ses bras autour du cou de la jeune femme. Pas toi, Kyla. Je te sauverai.

Kyla, pour toute réponse, se contenta de hocher la tête.

Elle pleurait.

— C'est hors de question !

Malcolm MacAlister, austère et orgueilleux comme seul peut l'être un Écossais, dépassa sa nièce sans lui accorder un regard.

Kyla le suivit.

— Mon oncle, écoutez-moi !

— Cela suffit. J'ai à faire, Kyla.

Les étroits couloirs du manoir empêchaient la jeune femme de marcher de front avec son oncle, mais elle s'obstina à le suivre. Il se dirigeait vers son bureau, où il avait rendez-vous avec son intendant et le chef des villageois pour discuter des termes de la lettre de Strathmore arrivée ce matin. Kyla devait absolument plaider sa cause avant qu'il ne les ait rejoints.

— Je vous en supplie, implora-t-elle, relevant ses jupes à deux mains pour marcher plus vite. Laissez-moi le voir. Laissez-moi entendre ce que Strathmore a à me dire...

Malcolm se retourna si brutalement que Kyla faillit lui rentrer dedans.

— Comment as-tu eu vent de cette lettre, Kyla ? Elle ne t'était pas destinée. Ceci est une affaire d'hommes.

18

— Je vous demande pardon, mon oncle, mais elle m'était adressée. Et il me semble que cela me regarde.

Malcolm secoua la tête.

— Tu crois savoir ce que tu dis, mais tu n'es qu'une femme. Tu ne connais rien à la guerre, et tu ne sais pas ce qu'est la mort. Il t'est impossible de comprendre ce qui est en jeu dans cette histoire.

Cette violente rebuffade la déstabilisa d'abord, mais très vite sa colère prit le dessus.

— Je suis une femme en effet, comme vous dites, et je ne connais sans doute rien à la guerre. En revanche, je sais ce qu'est la mort. Je l'ai même un peu trop vue à l'œuvre, ces derniers temps. Et j'aimerais pouvoir y mettre un terme.

— Toi ? Toi toute seule ! Comme si tu possédais une baguette magique capable d'ébranler le cœur des Anglais ! Alors que depuis des siècles, ils rêvent de conquérir nos terres ! Que tu es naïve ! Puisque tu as lu cette lettre, n'as-tu donc pas soupçonné la ruse qui s'étalait sous tes yeux ?

— Et si ce n'était pas une ruse ? Et si lord Strathmore voulait vraiment nous laisser en paix, à condition que j'aille le trouver ? Ne pourrions-nous pas prendre ce risque ?

Les termes de la lettre étaient gravés dans son esprit. Elle savait qu'elle ne les oublierait jamais.

Lady Kyla,
Je souhaiterais vous rencontrer. Cette poursuite a assez duré. À mes yeux comme aux vôtres, j'imagine.
Je possède un certain parchemin où il est question de votre père. Et je suis convaincu que vous seriez intéressée de le voir par vous-même. Conner Warwick est innocent. Cette lettre le prouve.

Rencontrons-nous rapidement, et ce parchemin sera à vous. Si ma proposition vous agrée, je vous promets que ni vous ni vos proches n'aurez rien à craindre de moi ou de mes hommes.

J'attends impatiemment votre réponse.

Strathmore

Kyla n'avait pas eu besoin qu'il signe de son nom entier pour deviner son identité. Roland Strathmore. Le comte de Lorlreau. «L'Âme damnée du roi Henry», comme tout le monde l'avait surnommé. Et il avait pris la peine de lui écrire personnellement, pour lui proposer de mettre un terme au cauchemar qu'elle vivait. Le fait qu'il fût son ex-fiancé avait peut-être – ou peut-être pas – influencé son geste. Mais là n'était pas l'important. Kyla était consciente qu'elle ne pouvait laisser filer pareille opportunité.

— Mais bien sûr que c'est une ruse! Que tu puisses en douter prouve la faiblesse de ton esprit, déclara Malcolm. Je sais que tu penses agir pour notre bien à tous, Kyla. Mais on ne peut pas faire confiance à un loup. Et tous ces Anglais ne valent pas mieux que des loups, crois-moi.

— Non, s'entêta Kyla qui s'obligeait à rester calme pour paraître plus déterminée. J'ai entendu dire que Strathmore était un homme d'honneur. S'il a envoyé cette lettre, c'est qu'il compte s'en tenir à ses termes.

— Tu es décidément trop naïve, objecta son oncle. C'est Strathmore qui a donné l'ordre de nous attaquer. À l'heure où nous parlons, ses soldats marchent sur le manoir. Et tu veux encore lui faire confiance?

20

Sur ces mots, il repartit vers son bureau, sans même donner à Kyla le temps de lui répondre, et il lui ferma la porte au nez.

La jeune femme resta plantée devant le battant, à méditer sur ce qu'elle venait d'entendre. Et si c'était vrai ? Si cette lettre n'était qu'un mensonge, de la part de l'un des plus proches serviteurs du roi Henry ?

Les soldats approchaient-ils réellement ?

Non. Elle se refusait à y croire. Elle ne pouvait voir ses espoirs anéantis d'une façon aussi monstrueuse, juste au moment où elle avait fini par estimer que son propre sacrifice serait un modeste prix à payer, en échange de la sécurité d'Alister. Et de l'honneur préservé du nom paternel.

Conner Warwick, baron de Rosemead, lui avait dit un jour que l'homme qu'elle n'avait encore jamais rencontré, mais avec lequel elle s'unirait pour le restant de sa vie – le comte de Lorlreau –, était quelqu'un de parfaitement honorable. Et Kyla était convaincue que son père ne lui aurait pas menti pour la rassurer. Conner avait toujours trop estimé la probité morale pour s'abaisser à cela. Il aurait préféré demander au roi d'annuler les fiançailles, s'il avait pensé un seul instant que Kyla pourrait pâtir de cette union. Elle-même était persuadée que Henry appréciait trop son père pour lui refuser cette faveur, si jamais il l'avait réclamée.

Car c'était ainsi : Conner était aimé de tous ceux qui le fréquentaient. Ses manières de gros ours affectueux, qui distribuait sourires et conseils avisés avec une égale chaleur, lui valaient l'estime générale. Même le roi, pourtant si austère, se laissait contaminer par sa perpétuelle bonne humeur – de même qu'il profitait de ses avis toujours sagaces.

C'était sans doute pour cela, avait souvent pensé Kyla, que son père passait plus de temps à la cour que dans son propre manoir, qui n'était pourtant distant du palais royal que de trois petites journées de cheval. Le roi avait besoin de lui, expliquait à chaque fois Conner à sa femme d'un air las. Et la patiente Hélaine le réconfortait d'un baiser, avant de le renvoyer vers Londres, et vers Henry.

Peut-être, au fond, sa mère avait-elle été trop faible, songeait à présent Kyla en regagnant sa chambre. Si Hélaine avait témoigné moins d'indulgence lorsque son mari parlait de repartir, Conner serait probablement resté plus souvent à la maison.

Car tout le monde savait que Conner était follement épris de sa femme. Oui, tout le monde le savait.

En même temps, tout le monde avait cru, sans hésiter une seconde, qu'il l'avait tuée dans une crise de jalousie. Il n'y avait de toute façon pas d'autre explication plausible à son geste.

Kyla s'ébroua, dans l'espoir de chasser les noires pensées qui la hantaient depuis bientôt six mois, et qui lui donnaient l'impression de tourner en rond.

Malgré l'évidence, malgré ce qu'on racontait un peu partout, elle restait persuadée que son père n'aurait jamais pu tuer sa mère.

Malheureusement, le roi Henry était convaincu du contraire. Et il était prêt à envoyer une armée entière contre les Warwick, afin que tout le monde sache qu'aucun mari ne pouvait assassiner impunément sa femme – et encore moins quand il s'agissait de l'un des nobles de la cour. Et qu'en outre, pas un seul membre de la famille du meurtrier ne serait à l'abri d'un juste châtiment.

À présent Kyla n'avait d'autre chance, pour s'en sortir et sauver Alister, que de disparaître. Ou de trouver un moyen d'arrêter le destin.

Car elle était sûre, maintenant, que Malcolm refuserait de l'écouter. En fait, il détestait ce sang anglais qui coulait dans ses veines comme dans celles d'Alister, et qui était l'héritage de leur père. Et dire que Kyla avait pensé les sauver en venant chercher refuge chez lui !

Pourtant, lorsqu'ils étaient arrivés au manoir une quinzaine de jours plus tôt, à bout de forces, Malcolm leur avait offert l'hospitalité et il avait écouté leur histoire. Kyla, d'abord, n'avait voulu voir que le soulagement d'Alister. Son frère avait tenu bon durant le voyage, mais il était épuisé.

Elle avait deviné qu'il ne serait plus jamais un enfant, et elle s'affligeait de voir ses traits, à un si jeune âge, déjà marqués par tant de gravité. Aussi, quand Malcolm leur avait indiqué leurs chambres, s'était-elle réjouie pour lui.

Mais leurs épreuves n'étaient pas terminées, loin de là.

Malcolm ne s'était jamais remis de la « trahison » de sa petite sœur Hélaine, partie épouser un Anglais. Kyla, jusqu'ici, n'en avait pas pris conscience. Certes, elle avait compris que les relations entre son père et le frère de leur mère étaient pour le moins tendues : après tout, Malcolm n'était jamais venu à Rosemead, bien qu'il y fût invité chaque année.

Cela faisait à peine une semaine qu'elle avait réalisé l'ampleur du différend. Un soir, alors que tout le monde au manoir était couché, elle avait trouvé son oncle au salon, seul, s'enivrant de whisky, du verre brisé autour de lui.

Lorsqu'elle s'était exclamée devant ces dégâts, dans son ivresse, il l'avait prise pour Hélaine. Et c'était à Hélaine qu'il avait violemment reproché de l'avoir abandonné pour rejoindre le camp ennemi.

Le verre brisé provenait de la carafe à whisky, que Malcolm avait dû jeter violemment à terre. Les éclats réverbéraient autour d'eux la lumière du feu de cheminée. Malcolm avait serré longuement Kyla dans ses bras, tour à tour la secouant ou l'enlaçant, son haleine empestant l'alcool qu'il postillonnait à chaque tirade enflammée.

Finalement, Kyla avait réussi à se libérer et s'était enfuie de la pièce.

Heureusement, Malcolm ne s'était souvenu de rien – du moins n'avait-il jamais fait mention devant la jeune femme de ce qui s'était passé cette nuit-là. Elle-même avait quasiment oublié cette scène quand le message de Roland était arrivé aujourd'hui, avec son offre de paix.

Kyla était d'accord pour y souscrire. Et même avec enthousiasme. La solution, en effet, lui paraissait idéale : elle permettrait à la fois de laver son père de l'accusation du meurtre de sa mère et de restaurer l'honneur familial. Or, rien n'était plus important que ces deux points.

Mais, de toute évidence, Malcolm préférait la guerre à la paix. Il voyait dans ces événements une occasion de se venger des Anglais détestés qui lui avaient pris sa sœur.

Voilà pourquoi les soldats viendraient jusqu'ici.

Mais où donc était passé Alister ?

Elle le trouva debout devant son lit – sa chambre était contiguë à la sienne –, lui tournant le dos et regardant quelque chose qu'elle ne pouvait voir.

La jeune femme entra sur la pointe des pieds, mais il l'entendit et jeta un coup d'œil par-dessus son épaule, comme pour avoir confirmation de sa présence.

— Ils veulent que nous nous rendions, murmura-t-il d'une voix éteinte.

— De qui parles-tu ?

— Des Anglais, lâcha-t-il comme si ce mot lui était étranger, comme s'il avait oublié qu'il était lui-même à moitié anglais.

C'est l'influence de Malcolm, songea Kyla, effrayée.

Elle s'approcha, et découvrit ce qu'il contemplait : une épée à double tranchant, posée en travers du lit. Mais la lame était partiellement rouillée.

L'esprit de Kyla se refusait à établir un lien entre l'arme et son frère. Cependant, que faisait-il avec cette épée ? Même rouillée, une telle lame restait redoutable. Alister était trop jeune pour s'amuser avec pareil jouet. Elle voulut s'en emparer, mais Alister la devança. Il dut la prendre à deux mains pour la soulever, et son visage trahit l'effort que lui réclamait ce geste.

— Que fais-tu ? questionna Kyla en s'obligeant à rester calme.

— N'as-tu pas entendu ? rétorqua-t-il, sans quitter l'épée des yeux.

— Entendre quoi ?

Elle tendit l'oreille. Des bruits, parfaitement audibles, lui parvenaient depuis le couloir. Comment avait-elle pu les ignorer jusqu'ici ? Il y avait des bruits de pas – et aussi une voix d'homme, dont les intonations donnèrent le frisson à la jeune femme.

— Lord Strathmore a ordonné à notre oncle de nous rendre. Sinon, a-t-il dit, Glencarson en subira les conséquences.

Alister reposa la pointe de l'épée sur le lit. Kyla remarqua qu'il avait revêtu une cotte de mailles – bien trop grande pour lui : elle appartenait de toute évidence à un adulte.

— Non, c'est impossible, répliqua-t-elle, mais sa voix n'était qu'un murmure.

— Je t'assure que c'est vrai, insista Alister, levant pour la première fois les yeux vers elle. J'ai vu moi-même le message. Il est arrivé en début d'après-midi, et oncle Malcolm me l'a montré.

— Non, répéta Kyla.

Dehors, le bruit se faisait de plus en plus menaçant. Un gros nuage passa devant le soleil, plongeant la chambre dans l'ombre.

— Il ne renoncera pas, Kyla. Si nous ne l'arrêtons pas maintenant, il t'emmènera avec lui, assura Alister qui étreignait à deux mains le pommeau de l'épée. Et il te tuera. Mais je l'en empêcherai.

Kyla le regarda, interdite. Elle ne reconnaissait plus son petit frère. Mais Alister se trompait lourdement : c'était lui qui était en grand danger de se faire tuer. Elle devait absolument intervenir.

— Écoute-moi, commença-t-elle.

— Alister ! appela une voix depuis le seuil.

Kyla, aussitôt, se figea. Malcolm venait d'arriver.

— Ne t'inquiète pas, Kyla, murmura Alister. Tu n'as rien à craindre. Je te protégerai.

La jeune femme se tourna vers leur oncle :

— Je ne vous laisserai pas faire cela, dit-elle d'une voix cassante, qui la surprit elle-même.

Malcolm fit un pas dans la pièce.

— Ne crois pas que tu aies le choix, Kyla. Tu resteras ici, au manoir, avec les autres femmes. Ce qui va se passer ne te regarde pas.

— Non! hurla-t-elle, se précipitant vers la porte.

Malcolm, qui était deux fois plus large qu'elle, lui bloqua aisément le passage.

— Alister! appela-t-il une nouvelle fois, sur le ton du commandement.

Le jeune garçon quitta résolument la pièce.

— Non! lui cria Kyla. Reviens!

Alister lui jeta brièvement un regard par-dessus son épaule, avant de disparaître dans le couloir. Kyla, hors d'elle, pivota vers Malcolm :

— C'est moi qu'ils veulent. Et moi seule. Laissez-moi sortir. Je négocierai avec Strathmore.

— Il n'en est pas question, répliqua tranquillement Malcolm.

— Il n'a que douze ans! se récria Kyla. Ce n'est qu'un enfant! Vous devriez avoir honte de vous servir ainsi de lui!

Malcolm eut un geste impatient.

— C'est un homme. Du moins, il devrait déjà l'être, si tu le dorlotais un peu moins. Et c'est son droit le plus strict de combattre ceux qui ont tué son père. Même Dieu ne pourrait pas lui donner tort.

— Mais ils vont le tuer!

— S'il meurt, il mourra en guerrier.

— Ne comprenez-vous donc pas que nous allons tous mourir? Ils nous sont tellement supérieurs en nombre! Et que peuvent des paysans, armés de leurs seuls outils, contre des soldats aguerris? Ils iront au massacre!

— Si Dieu veut qu'il en soit ainsi, nous devons accepter Sa volonté. Et maintenant, assez discuté.

27

Malcolm la repoussa si violemment que la jeune femme tomba sur le plancher. Avant qu'elle ait pu se relever, il avait claqué la porte derrière lui.

— Nous nous reverrons ce soir, lui cria-t-il tandis qu'il tournait la clé dans la serrure.

Kyla courut à la porte.

— Non ! hurla-t-elle, désespérée.

Mais c'était trop tard : elle se retrouvait enfermée.

Quelques heures plus tard, quand lui parvint une odeur de brûlé qui laissait deviner que le manoir était en flammes, elle comprit que tout était déjà terminé.

La bataille de Glencarson ne fut pas moins sanglante que toutes celles qui avaient ravagé ces terres âpres des Highlands par le passé.

Un promeneur qui, ce jour-là, aurait gravi l'une des collines cernant la vallée de Glencarson, n'aurait d'abord rien remarqué d'anormal. Certes, le ciel n'était qu'une épaisse soupe grisâtre, mais c'était le temps habituel en Écosse à cette période du printemps. Certes, on ne voyait partout que de la boue, mais pourquoi aurait-il fallu s'en étonner alors qu'il pleuvait tous les jours ? Cependant, en redescendant la colline, notre promeneur n'aurait pas manqué d'être frappé par une odeur écœurante, qui lui aurait fait dresser les poils de la nuque.

Et, ce jour-là, la terre fertile et noire de Glencarson était teintée de rouge. On apercevait du rouge partout – des flaques entières, que venaient nourrir d'innombrables rigoles s'échappant des cadavres disséminés alentour. Et Dieu sait s'il y en avait…

Kyla progressait avec détermination, indifférente à cette boue sanglante qui collait à ses souliers et maculait le bas de sa robe. Elle se dirigeait vers le centre de ce qui avait été le champ de bataille, devinant que c'était là qu'elle le trouverait.

Son pied glissa sur la lame d'une épée, et elle tomba à la renverse. Voulant s'appuyer sur ses mains pour se redresser, elle ne fit que s'enfoncer davantage, tant la boue était épaisse. Elle resta alors quelques secondes immobile, les oreilles bourdonnant des cris qu'elle avait entendus toute la journée, enfermée dans sa chambre. Les cris des hommes. Ceux des chevaux. Et à présent ceux des femmes qui fouillaient la vallée à la recherche d'un époux, d'un frère ou d'un père.

Elle finit par se relever, s'essuya distraitement les mains sur ses jupes et reprit sa marche.

Alister.

De Malcolm, elle se souciait comme d'une guigne. C'était sa faute si cette bataille n'avait pu être évitée, et elle ne lui souhaitait rien d'autre que de rôtir en enfer. Mais Alister... Il était si jeune que sa lourde épée avait dû lui glisser des mains. Pauvre Alister...

Il gisait là, hélas, comme elle s'y était attendue. Dans la boue. Le teint très pâle, mais comme apaisé.

Kyla n'aurait su dire combien de temps elle demeura agenouillée à son côté, à serrer son visage dans ses mains, indifférente aux nuages qui se faisaient de plus en plus menaçants. Elle ne sentit même pas les premières gouttes lorsqu'elles commencèrent à tomber.

L'averse lava le cadavre d'Alister et rendit à ses cheveux leur vraie couleur, ce roux sombre qu'elle partageait avec lui.

Ce frère était tout ce qu'il lui restait de sa famille. Mais Kyla Warwick ne versa pas une larme. Ses mains ne tremblèrent pas quand elle voulut essuyer les gouttes d'eau qui gonflaient les sourcils d'Alister. Et ses genoux ne se dérobèrent pas sous elle quand elle le souleva dans ses bras, pour l'emporter à l'écart du champ de bataille.

2

— Ce fut une journée noire, dit la vieille femme qui touillait la marmite posée sur le feu.

C'était d'une telle évidence que Kyla pouvait difficilement la contredire. Elle baissa les yeux sur ses mains dont les ongles étaient sales, bien qu'elle se fût lavée plusieurs fois au savon.

— Il vous faudra partir très vite, ajouta la vieille femme.

Dehors, à l'extérieur de la grotte, on entendit une chèvre bêler à plusieurs reprises.

— Oui, acquiesça Kyla.

— Ils vont vous chercher, reprit la vieille femme qui s'appelait Lorna, en tapotant sa cuiller en bois contre le rebord de la marmite.

— Je sais, répondit Kyla.

Mais, pour l'instant, elle n'était pas en mesure de réagir. Elle contemplait ses mains croisées dans son giron et les trouvait si pâles qu'elles évoquaient des mains de fantôme. Elle se rappela comment sa mère prenait soin de ses propres mains, leur appliquant un onguent spécifique pour garder leur peau parfaite.

Les mains de Kyla, ce soir, étaient couvertes d'écorchures.

— Je serai partie avant qu'ils n'arrivent, assura-t-elle.

Lorna approuva d'un hochement de tête.

Elle avait longtemps travaillé au service de son oncle. Mais le manoir n'était plus que ruines fumantes, à présent. Lorna se retrouvait sans domicile, logée à la même enseigne que les quelques autres survivants du clan. Kyla devinait qu'ils seraient obligés de passer plusieurs mois dans ces collines rocheuses. Le village tout entier avait été détruit.

La grotte était froide et humide. Mais, au moins, elle les protégeait de la pluie.

— Les gens de votre père vous prendront en charge, dit Lorna, tapant de nouveau sa cuiller sur la marmite.

— Oui, j'irai.

— C'est le mieux que vous ayez à faire.

Kyla ne sut quoi répondre. Elle n'avait aucune idée de ce qui pouvait être « le mieux » pour elle. Les Anglais continueraient-ils vraiment à la pourchasser ? Son sort pouvait-il encore les préoccuper, maintenant qu'Alister et Malcolm étaient morts ? Persécuteraient-ils les membres du clan qui en avaient réchappé pour retrouver sa trace ?

Autant de questions graves et importantes, auxquelles elle ne pouvait apporter la moindre réponse.

Le feu se reflétait sur le manche doré de la dague que Kyla avait accrochée à sa ceinture. Elle avait enterré Alister sans la déposer à son côté. Cette dague était un bijou appartenant à leur mère – mais un bijou dangereux, car la lame était très coupante. Alister l'avait récupérée à la mort d'Hélaine. À présent, Kyla la garderait.

La chèvre bêla de nouveau, et une silhouette s'encadra sur le seuil de la grotte. C'était Colin. Le vieux Colin. Il venait lui dire de partir. Kyla se releva.

— Nous allons vous donner le cheval de votre oncle, annonça-t-il. C'est une forte tête, mais vous devriez arriver à vous entendre avec lui.

— Merci.

Kyla ramassa le sac de cuir sur lequel elle était assise, et quitta la grotte.

La nuit était fraîche, mais la jeune femme fut heureuse de pouvoir inspirer une pleine goulée d'air. Par miracle, le cheval de Malcolm était sorti indemne de la bataille. Kyla lui flatta l'encolure. Sa robe était entièrement noire, et la jeune femme eut une pensée amusante : la fille du renégat monterait un cheval noir comme la nuit.

Quelqu'un, elle n'aurait su dire qui, l'aida à s'installer. Il n'y avait pas de selle, mais elle était habituée à chevaucher à cru.

Par cette nuit sans lune, le cercle des villageois autour d'elle ressemblait à un cercle de spectres. Ces paysans distants et fiers les avaient accueillis à contrecœur, elle et son frère. À présent, ils étaient soulagés de la voir partir.

Kyla avait parfaitement conscience que leur hostilité n'était pas dirigée contre elle. Simplement, ces gens ne pouvaient pas se permettre d'héberger quelqu'un dont la tête était mise à prix – et à quel prix ! La colère du roi Henry était déjà assez cruelle comme cela. Heureusement, ils haïssaient les Anglais de toutes leurs forces, sinon probablement auraient-ils livré Kyla depuis longtemps, en échange d'un peu d'or.

Colin lui tendit un sac.

— Voilà de la nourriture pour quatre jours, au moins, dit-il. Prenez la direction du sud. Celle de Glen More.

— Merci. Merci pour tout, répondit Kyla. Et encore désolée.

Les paysans s'écartèrent pour la laisser passer. Mais les adieux furent silencieux. Bientôt, la jeune femme n'entendit plus que le clip-clop des sabots du cheval sur la route qui menait vers la frontière anglaise.

Au début, elle trouva quelque apaisement à se concentrer sur les pas de sa monture, qui n'avait guère besoin d'être dirigée : après tout, l'étalon connaissait mieux ce pays qu'elle-même. Kyla était heureuse de pouvoir le monter. Les villageois n'avaient pas été obligés de lui donner le cheval de Malcolm. Ils ne lui devaient rien. Alors qu'elle leur devait plus qu'elle ne pourrait jamais leur rembourser.

Le chemin, au bout de quelques heures, traversa une forêt de résineux. Il y avait de gros rochers, des torrents, mais aucun endroit qui pût servir de cachette. Kyla décida cependant de s'arrêter là pour la nuit. Le sol était rugueux, mais elle se servit de ses sacs de selle comme oreillers.

Elle se moquait que lord Strathmore et ses soldats puissent la trouver. Tant pis s'ils venaient la tuer dans son sommeil. Une partie d'elle-même le désirait presque. Comme cela, au moins, c'en serait fini de cette existence terrifiante.

Elle avait laissé délibérément le cheval libre de ses mouvements, plutôt que de l'attacher à un arbre. Si les soldats arrivaient, il pourrait s'enfuir. Ainsi, il survivrait.

Cette pensée lui procura quelque réconfort, et elle s'endormit paisiblement.

Mais les soldats ne se montrèrent pas. Ni qui que ce soit d'autre. Quand la jeune femme se réveilla, le lendemain matin, l'étalon attendait patiemment à proximité, broutant un carré d'herbe grasse.

Le manteau de Kyla était mouillé à cause de l'humidité montée du sol, mais au moins il ne pleuvait pas. Elle se leva, s'étira et se massa le cou.

— Alors, l'ami, lança-t-elle au cheval, tu n'as donc pas envie d'abandonner une cause perdue ?

Le cheval tourna les yeux dans sa direction, sans cesser de brouter l'herbe. Le bruit de son ruminement résonnait étrangement dans la forêt silencieuse. Ce qui fit réaliser à Kyla qu'elle n'avait rien mangé depuis plus de vingt-quatre heures. Elle ouvrit le sac que lui avait donné Colin et dévora un morceau de pain et de fromage en contemplant d'un œil morne un tronc tombé à terre près du chemin.

Le sentiment d'hébétude qui l'avait saisie dans le champ de bataille de Glencarson commençait à s'estomper sous le soleil de cette nouvelle journée. La réalité reprenait lentement le dessus, bien qu'elle ne fût pas la bienvenue.

Le pain et le fromage disparurent trop rapidement. Kyla avait encore faim. Cependant elle n'osa pas puiser à nouveau dans ses provisions. Un torrent coulait tout près – elle pouvait entendre son eau cascader sur les rochers. Et qui disait torrent, disait poissons. Kyla savait pêcher. Son père le lui avait appris peu avant de mourir.

En vérité, cela avait été sur l'insistance de la jeune femme. Quand il avait été clair que Conner ne parviendrait pas à se secouer du chagrin qui l'avait saisi à la mort de sa femme, Kyla avait décidé de prendre leur destin en main. Avec l'argent qu'elle avait pu emporter dans leur fuite, elle avait acheté de quoi les nourrir au fur et à mesure de leur voyage vers l'Écosse. Et lorsque l'argent avait fini par manquer, elle avait recouru à toutes les astuces afin de survivre. La pêche avait constitué l'une de ces astuces. En fait, elle avait bien failli se noyer dans les eaux glacées des Highlands avec le harpon de fortune qu'elle avait confectionné pour attraper des poissons.

Voyant cela, Conner était pour une fois sorti de sa léthargie. Lui arrachant le harpon, il l'avait brisé sur sa cuisse. Puis il s'était mis à pêcher. Et Kyla l'avait regardé faire.

À la mort de sa femme, Conner avait sombré dans un mutisme hébété. Comme si lui-même était à peu près mort ce jour-là. Mais Kyla avait réussi à garder la tête froide, et elle avait continué d'agir normalement. C'était heureux, du reste, car sinon ils auraient tous été perdus.

Elle avait tenu la maison aussi longtemps que possible, jusqu'à ce que le scandale ne devienne insupportable. Les jours passant, après la découverte du cadavre d'Hélaine, elle avait vu la suspicion grandir dans le regard des domestiques, puis leur attitude devenir de plus en plus défiante.

Ensuite, les nobles avaient commencé d'arriver à Rosemead par petits groupes, mais ce n'était pas pour exprimer leurs condoléances, même s'ils lançaient à Kyla des regards apitoyés qui semblaient sincères. Non, ils étaient venus pour son père. Ils étaient venus voir l'assassin présumé, comme s'ils étaient fascinés de pouvoir s'asseoir face à lui et lui parler, alors que lui-même ne semblait pas s'apercevoir de leur présence. Ce spectacle avait littéralement effondré Kyla.

L'étalon en avait terminé avec son carré d'herbe, et s'approchait maintenant de l'endroit où la jeune femme était assise. Il pencha la tête vers elle et souffla des naseaux.

— Tu as assez mangé, l'ami ? lui demanda Kyla. Alors, trouvons à nous désaltérer.

Le torrent coulait plus loin qu'elle ne l'avait imaginé à l'oreille. Quand ils rallièrent enfin ses berges, Kyla fut aussi impatiente que le cheval de pouvoir s'y abreuver. Elle prit soin, cependant, de boire en amont de l'étalon.

Puis elle plongea les mains dans le torrent pour s'asperger le visage. L'eau était si glaciale que la jeune femme, saisie, dut reprendre son souffle avant de répéter l'opération. Un peu tard, elle s'aperçut qu'elle n'avait rien pour se sécher ; aussi, assise au bord du torrent, elle renversa la tête en arrière pour offrir son visage aux rayons du soleil.

Tandis qu'elle demeurait ainsi immobile, ses pensées battaient la campagne. Conner n'avait pas tué Hélaine, elle en était convaincue. Mais quelqu'un d'autre avait commis ce crime – et avait du même coup détruit toute sa famille. À présent, Kyla savait ce qu'elle devait faire.

Elle était jeune, elle se sentait forte et se savait intelligente. D'autre part, elle n'avait plus rien à perdre. Tout ce qui relevait de son ancienne existence avait disparu. Elle entendait ne s'épargner aucun risque afin d'obtenir vengeance.

Un homme se trouvait au centre de tout. Son ancien fiancé avait pris la peine de lui écrire, se vantant de posséder une preuve capable de les sauver tous. Mais ensuite, il les avait trahis.

Aussi Kyla se promettait-elle de retrouver le comte de Lorlreau pour lui poser certaines questions. Et s'il n'y répondait pas, elle n'hésiterait pas à le tuer. Du reste, peut-être le tuerait-elle de toute manière.

Oui, le chasseur ne tarderait pas à devenir la proie.

— Franchement, Strathmore, ironisa sir John Hindrige, ce n'était qu'un misérable petit village des Highlands, à peine digne de figurer sur une carte. J'ai du mal à comprendre que son sort ait pu vous importer.

Roland tournait le dos à son interlocuteur. Il contemplait, à travers la fenêtre du petit salon privé du premier étage, la cour de l'auberge où ils s'étaient installés. Seule sa raideur aurait pu trahir, pour un observateur averti, la colère qui le consumait.

— Ce misérable petit village, répliqua-t-il, abritait plus de cent cinquante personnes. Toutes innocentes dans cette affaire.

— Allons, allons ! s'esclaffa Hindrige. Des innocents, dites-vous ? N'empêche qu'ils hébergeaient les fuyards. Malcolm MacAlister leur avait donné sciemment refuge. Ces gens n'ont eu que ce qu'ils méritaient. Ils avaient désobéi à la loi et au roi. Il est logique qu'ils aient été punis.

Roland se retourna vers le ministre de la Guerre.

— Vous avez sans doute raison, admit-il. Mais c'était mon rôle de les châtier. Pas celui de Reynard.

— Sur ce point, je ne peux être que d'accord avec vous. Il a usurpé ses prérogatives. Du reste, comme je vous l'ai dit, le roi l'a sévèrement réprimandé.

— Oui.

Roland fit de nouveau face à la fenêtre. Dans la cour en dessous, toutes sortes de gens vaquaient à leurs occupations. Ils se sentaient en sécurité dans cette bourgade de la frontière, située du bon côté du mur d'Hadrien – le côté anglais. Son regard accrocha une femme discutant avec le boulanger. Elle était entourée de cinq enfants. Roland se demanda combien d'enfants des Highlands se retrouvaient désormais orphelins, à cause des débordements de Reynard.

Une réprimande royale ! songea-t-il. C'était une bien légère punition pour avoir détruit tout un village.

Hindrige s'était tu quelques instants, pour avaler une bouchée de viande. Il reprit la parole :

— Eh bien, Strathmore ? Qu'allez-vous faire à présent ? Vous ne possédez toujours aucune preuve de la mort du baron Rosemead. Et vous ne savez pas davantage si ses enfants ont survécu. Vous allez retourner auprès de Henry les mains vides.

Roland ne répondit pas. Il regardait toujours dans la cour.

— Elle n'aura probablement pas survécu à l'hiver, enchaîna Hindrige. Je me suis laissé dire que c'était une créature délicate. Comme sa mère.

— C'est possible…

— Vous n'avez plus aucune obligation envers cette famille, désormais, souligna Hindrige.

Et avec un soupir il murmura, pour la dixième fois au moins depuis que Roland l'avait rejoint dans cette pièce :

— Quand même, quelle tragédie !

Après un autre soupir, il ajouta :

— La baronne était une femme si ravissante. Qui aurait pu croire que…

— C'est une énigme, en effet, le coupa Roland. Pardonnez-moi, Hindrige, mais je vais devoir vous abandonner. Le voyage m'a épuisé.

— Oui, oui, bien sûr. Ces Highlands sont redoutables. Surtout par un tel temps ! Je ne comprends pas pourquoi des gens tiennent à habiter cette contrée hostile.

Roland partit vers la porte.

— Bonne nuit, Hindrige.

— Strathmore ! le rappela celui-ci avant qu'il ne s'éclipse.

Roland se retourna, la main sur la poignée. Il réprimait difficilement son impatience.

— Même à supposer qu'elle ait survécu, elle n'est plus votre fiancée, Strathmore. Ne perdez pas cela de vue.

Roland hocha la tête, et sortit.

À l'inverse de l'opinion générale, Roland était persuadé que Conner Warwick était mort, mais qu'en revanche ses enfants avaient survécu. Il était sur leurs traces depuis le début – depuis cette fameuse nuit où ils s'étaient enfuis de Rosemead sans prévenir.

Roland possédait son propre réseau d'espions. C'étaient eux qui lui avaient appris que les deux héritiers Warwick avaient pris la direction du nord avec leur père. En réalité, il n'était pas si difficile de les pister : lady Kyla était réputée pour sa très grande beauté, or une jeune femme lui ressemblant avait été aperçue à maintes reprises sur les routes menant vers l'Écosse.

Lors des rapports suivants, il ne fut plus question que des deux jeunes gens. Roland refusait de croire que Conner ait pu abandonner ses enfants aux rigueurs de l'hiver. S'ils voyageaient seuls, c'était qu'ils n'avaient pas d'autre choix. Leur père était mort en route.

Les espions du roi proposaient une autre version. Ou plutôt, plusieurs autres versions. Conner Warwick et ses enfants auraient été aperçus en Irlande, au pays de Galles ou encore dans le Kent. Roland n'en croyait rien. Mais il comprenait le zèle des espions royaux : Henry promettait une grosse récompense à qui permettrait de capturer l'assassin de son cousin, lord Gloushire. Et comme lord Gloushire avait été retrouvé mort dans le même lit que la baronne Rosemead – assassinée elle aussi –, il était raisonnable de penser que le mari trompé avait commis les deux crimes.

Roland, pour sa part, se moquait de savoir qui avait tué Gloushire. Il n'avait jamais aimé ce coq vaniteux, qui se réclamait de sa parenté avec le roi pour obtenir toutes sortes de faveurs injustifiées. Il aurait même été prêt à parier que le roi non plus n'aimait pas son cousin. Mais, bien sûr, Henry ne pouvait laisser son meurtre impuni.

Voilà pourquoi il avait demandé à Roland d'appréhender Rosemead. Car Henry s'en remettait toujours à Roland pour résoudre les problèmes les plus épineux. Et ce dernier n'avait pas été surnommé pour rien «l'Âme damnée du roi», comme avaient pu s'en apercevoir tous ceux qui s'étaient mis en travers du chemin de Henry.

Le fait que la fille du présumé assassin en fuite ait été par ailleurs la fiancée de Roland n'avait guère pesé dans la balance.

— Trouvez-les-moi, Strathmore, avait ordonné Henry. Et amenez-les-moi. Je déciderai ensuite du sort des enfants. Mais je les veux vivants. J'insiste là-dessus, Strathmore !

Et c'était bien ainsi que Roland comptait s'acquitter de sa mission.

Ces fiançailles, du reste, avaient été l'invention de Henry, et le souverain ne s'était pas soucié du consentement de Roland – ni, probablement, de celui de la jeune femme. Il n'était pas rare que le roi se charge lui-même de marier ses nobles, en particulier ceux qui, à ses yeux, avaient un peu trop attendu avant de se présenter devant l'autel.

Si Roland n'avait pas eu son mot à dire, en revanche il avait été agréablement surpris que Henry lui réserve la fille de l'un de ses conseillers préférés, laquelle avait en outre la réputation d'être fort séduisante. Roland avait vu dans cette générosité royale un témoignage de haute estime à son endroit.

Il n'avait rencontré sa fiancée, lady Kyla Warwick de Rosemead, qu'une seule fois. Et c'était il y a longtemps. À l'époque, elle n'était encore qu'une gamine de dix ans, avec de grands yeux et une peau très blanche. Elle était venue passer quelques jours à la cour avec ses parents, et Roland se souvenait qu'elle s'occupait beaucoup de son petit frère, un tout jeune garçon. Mais il avait été surtout frappé par la beauté de sa mère. Si Kyla, en grandissant, devait ressembler à lady Hélaine, alors il n'aurait pas à se plaindre du choix du roi.

Cependant, Roland avait vite relégué ces fiançailles dans un recoin de son esprit. Puisque Henry avait décidé de ce mariage, le monarque choisirait lui-même la date de la cérémonie. Roland se satisfaisait très bien de n'avoir rien à faire dans l'histoire : il attendrait que Henry organise les noces, puis conduirait sa nouvelle épouse à Lorlreau. Où elle apprendrait à se débrouiller.

Mais le destin avait chamboulé les projets royaux. Et Roland s'était retrouvé avec l'incroyable mission de devoir pourchasser à travers le royaume non seulement le père de sa fiancée, mais la jeune femme elle-même, ainsi que son petit frère.

Cependant, cela ne l'avait pas chagriné le moins du monde. En tout cas, au début. Car il n'en était plus tout à fait de même aujourd'hui.

Certes, tout semblait désigner le baron comme l'assassin. Mais Roland avait été surpris de le voir manifester, après la perte de sa femme, un chagrin qui avait toutes les apparences de la sincérité.

Roland était arrivé à Londres le lendemain du meurtre, et il avait pu assister à une étrange scène : le baron Rosemead venant réclamer la dépouille de son épouse pour la rapatrier dans ses terres.

Le fier baron dont Roland gardait le souvenir n'était plus que l'ombre de lui-même. Il était difficile, dans ces conditions, de l'imaginer avoir prémédité son geste. Ni même d'avoir agi dans le feu de la jalousie.

D'autre part, Rosemead avait attendu plus d'une semaine avant de s'enfuir de son manoir avec ses enfants. Un assassin se serait éclipsé aussitôt.

Non, décidément, tout cela ne collait pas. Et Roland commençait à éprouver quelque dégoût pour sa mission. Soit le baron était innocent, auquel cas il s'en voulait de pourchasser un homme aux abois, qui avait brutalement dégringolé d'une position sociale enviable. Soit le baron était coupable, mais alors Roland s'étonnait qu'un assassin ait pris la peine d'emmener ses deux enfants dans sa fuite, lesquels ne pouvaient que le ralentir – ou le trahir.

D'autant que la fille avait les traits de la mère. C'était pour le moins étrange.

Et puis, Roland trouvait de plus en plus délicat d'avoir à traquer sa fiancée. Un sentiment diffus de culpabilité le taraudait, au point qu'il se prenait à rêver de sauver les Warwick en prouvant l'innocence du baron – si insensé que cela pût paraître.

Du moins entendait-il épargner les enfants. Et Kyla, pour commencer. Il devait bien cela à l'innocente gamine de dix ans dont il avait gardé le souvenir mais qui, depuis, était devenue une femme dont il ne parvenait pas à se représenter exactement les traits.

Il sortit dans la cour de l'auberge. La paysanne de tout à l'heure, avec ses cinq enfants, avait disparu. Mais d'autres femmes l'avaient remplacée, qui toutes tentaient pareillement de survivre.

Roland se demandait où Kyla et Alister avaient bien pu passer. Et ce qu'ils faisaient à cet instant.

Il ne se doutait pas qu'il obtiendrait une réponse beaucoup plus rapidement que prévu.

3

Angleterre, mai 1117

Elle aurait dû se douter que tout était un peu trop facile.

D'abord, pour lui simplifier la tâche, l'homme que cherchait Kyla n'avait toujours pas quitté, cinq semaines après la bataille de Glencarson, la bourgade de la frontière où il s'était provisoirement installé.

Mais, après tout, il paraissait logique qu'il ne cherche pas à regagner Londres tant qu'il n'aurait pas été prouvé que les fuyards – c'est-à-dire elle seule, désormais – étaient bien morts. À sa place, Kyla aurait fait de même.

Ensuite, elle n'avait pas mis longtemps à dénicher l'auberge où il logeait. Certes, ce n'était pas compliqué : la bourgade ne comptait que deux auberges, et il avait suffi à Kyla de repérer celle autour de laquelle patrouillaient le plus grand nombre de soldats.

Toutefois, elle s'était demandé si elle n'aurait pas dû patienter encore un peu, avant de mettre son plan à exécution. Elle ne s'était accordé que vingt-quatre heures pour inspecter les lieux et arrêter les derniers détails. Un délai qui pouvait sembler largement suffisant, compte tenu de la simplicité de l'endroit : une petite auberge ; une grande cour ouverte à tous les vents et donnant sur les écuries ; la route longeant le tout…

Les dernières appréhensions qu'elle pouvait nourrir s'étaient envolées lorsqu'elle l'avait aperçu, traversant la cour.

Car c'était lui, bien sûr. Ce ne pouvait être que lui.

Aucun autre homme, dans une aussi petite ville, n'aurait pu se déplacer avec cette assurance, comme si l'air devant lui se séparait pour le laisser passer avec encore plus de puissance et de grâce.

La journée avait été sombre et nuageuse, mais Kyla avait d'abord remarqué sa silhouette – imposante.

Puis les lourds nuages masquant le soleil s'étaient dissipés. Tout à coup, il s'était retrouvé environné de lumière, et la jeune femme en avait eu le souffle coupé.

Pourquoi le Créateur avait-il affublé d'une enveloppe aussi magnifique une âme aussi noire ? Une telle perfection physique était presque injuste.

Des cheveux couleur de miel tombaient, en longues vagues, de part et d'autre d'un visage aux traits volontaires, jusqu'à toucher ses épaules – qu'il avait très larges. Ses lèvres parfaitement sculptées esquissaient un sourire – un sourire destiné à personne en particulier, sinon aux oiseaux perchés dans les arbres de la cour.

Ses yeux, d'un bleu tirant sur le vert, illuminaient son teint hâlé par le soleil. Ils rappelaient à Kyla une pierre précieuse qu'elle avait vue autrefois à la cour, sertie sur la bague d'un prince maure.

— Une turquoise, avait expliqué le prince avec un sourire entendu, comme pour souligner le caractère précieux du bijou.

Kyla, à ce spectacle, avait haï Strathmore avec une violence renouvelée. Elle lui en voulait de vivre, alors qu'Alister était mort. Elle lui en voulait de la poursuivre et d'être disposé à l'emprisonner sans états d'âme, alors qu'elle avait été sa fiancée.

Mais, par-dessus tout, elle lui en voulait d'être responsable de l'anéantissement de sa famille.

Accroupie derrière des tonneaux, elle avait fermé quelques instants les yeux, pour ne plus le voir. Quand elle les avait rouverts, il avait disparu.

Elle s'était alors discrètement éclipsée, attendant la nuit pour passer à l'action. Le moment venu, elle n'avait eu aucune peine à repérer sa chambre : la plus spacieuse, bien sûr, la seule avec un balcon. Aucune difficulté non plus pour y grimper, grâce à une vigne vierge qui poussait opportunément sur le mur. Il ne lui avait pas fallu plus de cinq minutes pour atteindre le balcon.

Oui, tout avait été beaucoup trop facile…

Et maintenant, elle payait cher de s'être laissé guider par ses pulsions plutôt que par le raisonnement. Car elle se retrouvait prise au piège, et elle mourrait sans avoir pu accomplir sa vengeance. Il l'avait attrapée dans sa chambre, et d'ici peu il la livrerait aux hommes de Henry. « L'Âme damnée du roi ». Pour ça, il méritait bien son surnom.

Elle avait mal à la main, après le coup de poing qu'elle lui avait décoché en pleine mâchoire, et cependant elle aurait voulu pouvoir le frapper encore.

Il se tenait devant elle, souriant bêtement après ces présentations ridicules comme s'ils étaient à un bal, et non pas face à face dans une chambre d'auberge où elle était entrée avec l'intention de le tuer.

— Donnez-moi la lettre, dit-elle, se massant les phalanges.

Il secoua la tête.

— Désolé. Je ne l'ai pas.

Roland crut lire de la déception dans le regard de la jeune femme, mais il n'en était pas certain. Elle plissait les yeux à cause de la pénombre. De quelle couleur étaient-ils ? Clairs, en tout cas. Verts, peut-être. Ou bleus, pour contraster avec sa chevelure flamboyante…

— Vous mentez !

— Hélas, non, milady. La lettre n'est pas ici.

Elle coula un regard vers la boîte sur la table, d'où dépassait un morceau de parchemin.

— C'est du papier vierge, expliqua-t-il.

Elle dansa d'un pied sur l'autre. Une mèche de cheveux tomba sur son visage. Roland, fasciné, eut envie de les toucher pour voir s'il se brûlerait à leur contact, tellement leur couleur évoquait un brasier incandescent. Dans sa distraction, il faillit ne pas voir qu'elle bondissait vers la fenêtre.

Il la rattrapa à temps, heureusement, mais non sans mal, et Roland eut peur qu'ils ne fassent trop de bruit. Faute d'une meilleure idée, il la ramena de force vers le lit et l'obligea à s'y asseoir, avant de s'installer à côté d'elle et de la serrer contre lui.

Elle tremblait, mais il préféra l'ignorer. Il était déterminé à la sauver – au besoin contre son gré.

— Conduisez-moi à votre frère, murmura-t-il à son oreille. Et je vous accompagnerai ensuite tous deux jusqu'à Londres. Vous n'aurez rien à craindre. Je parlerai au roi en votre faveur.

Elle ne répondit rien. Mais il la sentit trembler plus fort.

— Je peux vous aider, Kyla. Vous le savez bien. Je suis en mesure de vous aider tous les deux.

Elle restait muette. Le silence s'étira, insupportable.

— Suppôt de Satan! hurla-t-elle soudain. Lâchez-moi! Je vous tuerai!

Aussitôt, Roland s'allongea sur elle, l'écrasant de tout son poids et plaquant une main sur sa bouche. Elle se débattit avec force, mais il put la maîtriser, juste à temps avant que la porte ne s'ouvre à la volée.

— Milord? appela une voix. Tout va bien?

— Tout va bien, Gilchrist, répondit Roland d'un ton égrillard. Cette petite catin aime me donner du fil à retordre. C'est une vraie panthère.

Il laissa son bras en travers du visage de la jeune femme, pour le cacher au soldat qui s'était encadré sur le seuil.

— Ah! fit celui-ci.

Et, s'esclaffant, il ajouta :

— Alors, amusez-vous bien, milord.

— J'y compte bien, répliqua Roland.

Le soldat referma la porte. Kyla en profita pour mordre la main de Roland.

— Décidément, vous faites tout pour susciter mon affection, ironisa-t-il, sur le même ton qu'il avait employé avec le soldat.

Elle était visiblement toujours aussi déterminée à le combattre, à en juger par ses efforts pour le repousser. Quoique leur position ne manquât pas d'un certain attrait, Roland devait trouver quelque chose pour la calmer. Il ne voulait pas qu'elle finisse par se faire mal.

— Kyla, répéta-t-il, laissez-moi vous aider. Je vous conduirai à Londres avec votre frère, sous ma protection. Et vous avez ma parole qu'il ne vous arrivera rien de fâcheux.

Il ôta son bras, éloignant du même coup la main qui bâillonnait sa bouche.

Elle le regardait avec des yeux fixes. Roland réalisa soudain qu'elle n'était pas *simplement* belle, comme il l'avait d'abord pensé. Elle était d'une beauté stupéfiante.

Qu'importait que son visage fût menu, sa bouche un peu trop sensuelle, ses sourcils trop durs, son cou peut-être un peu trop long : combinés, ces éléments produisaient un résultat proche de la perfection.

Il demeura fasciné quelques instants. Elle-même ne bougeait pas, comme si elle s'abandonnait à la même contemplation. Puis Roland, secouant la tête, s'ébroua mentalement. Ce n'était pas son genre, de jouer au garçon énamouré. Quelle que soit la femme qu'il avait en face de lui.

Et celle-ci ne lui était rien. Elle n'était pas sa maîtresse. Elle n'était même plus sa fiancée.

Cependant, la voyant s'humecter les lèvres du bout de la langue, il sentit ses veines s'embraser.

Il s'assit, irrité. Les choses n'étaient pas supposées se passer ainsi.

— Où se trouve la vraie lettre ? demanda-t-elle.

Elle offrait un spectacle bien tentant, avec ses cheveux répandus sur l'oreiller et sa tunique qui ne cachait pas grand-chose de ses courbes sensuelles.

Roland avait entendu la question. Il savait qu'il devait y répondre. Mais il aurait préféré serrer tendrement la jeune femme dans ses bras, et la réconforter.

— Il n'y a pas de lettre, lâcha-t-il pourtant. J'ai inventé cette histoire.

Elle en resta d'abord bouche bée. Avant de secouer la tête, comme si elle refusait l'évidence.

— C'était un piège pour vous attirer, ajouta-t-il sans prendre de gants. Et ça a marché.

Elle ferma les yeux. Sans doute ne voulait-elle plus rien entendre. Roland se reprocha sa rudesse. Elle semblait si désemparée. Comment avait-il pu se montrer aussi cruel ?

— Kyla, tout est terminé. Conduisez-moi à votre frère.

Elle rouvrit les yeux et regarda le plafond.

— Tant de vies anéanties, murmura-t-elle. Et depuis le début, ce n'était qu'un mensonge...

Roland se sentit envahi par l'émotion, mais il s'obligea à se ressaisir. Toute manifestation de faiblesse le rendrait vulnérable, or il avait passé ces dernières années à faire en sorte de ne plus jamais être vulnérable.

Il se releva.

— Nous devons rentrer à Londres. Je sais que votre père est mort. Prenons Alister avec nous, et partons.

Elle reporta son regard sur lui, et il vit à quel point elle le haïssait.

— Vous saviez que votre mensonge me ferait venir, dit-elle.

— En fait, j'attendais plutôt votre frère. Je pensais qu'il était le plus impulsif de vous deux.

Après le massacre de Glencarson, ses espions n'avaient pu lui donner aucune nouvelle de Kyla et d'Alister. Le village avait été entièrement détruit, mais lorsque Roland était arrivé sur place, ceux qui étaient tombés durant la bataille étaient morts depuis trop longtemps pour pouvoir être identifiés. Cependant, il avait eu l'intuition que les Warwick ne se trouvaient pas parmi les victimes. Mais il aurait été inutilement fastidieux de fouiller les collines environnantes à la recherche des rescapés. Les habitants des Highlands avaient la réputation d'être capables de s'y cacher et d'y survivre aussi longtemps qu'il était nécessaire. Il était donc revenu ici, à la frontière, pour réfléchir à la suite des événements.

Roland n'avait bien sûr nullement l'intention de révéler à cette jeune femme en colère combien il avait eu de la chance qu'un de ses espions la repère aujourd'hui même, dans la cour de l'auberge. Celui-ci l'avait averti et Roland, s'imaginant qu'Alister se trouvait également dans les parages, en avait déduit que l'un ou l'autre se montrerait au cours de la nuit. Il ne s'était pas trompé.

— Où est Alister ? Serait-il malade ? interrogea-t-il, échafaudant déjà un plan pour surprendre le gamin avant qu'il n'apprenne la capture de sa sœur.

Kyla ignora sa question.

— Vous avez inventé cette histoire de lettre. Vous m'avez fait croire que vous déteniez la preuve de l'innocence de mon père.

Roland ne répondit pas.

— Vous m'avez écrit pour m'expliquer que vous déteniez une lettre prouvant qu'il n'avait pas tué ma mère, reprit-elle. Et vous m'avez promis de me la donner, si…

— … si vous acceptiez de me rencontrer, l'interrompit Roland. Mais vous avez refusé.

Elle resta quelques instants silencieuse, à le regarder, avant de lâcher :

— J'aurais dû me douter que vous n'hésiteriez pas à me mentir. Après tout, vous n'êtes qu'un larbin au service du roi. Vous n'avez ni âme ni conscience. Ni remords. Un mensonge était sans importance, pour vous.

— Sans importance. Maintenant, conduisez-moi à votre frère, Kyla.

Elle ricana, mais son rire était amer. Et elle tourna la tête de côté. Roland eut soudain une mauvaise intuition.

Bon sang…

— Comment est-il mort ? s'enquit-il.

— D'après vous ? répliqua-t-elle du tac au tac.

— Le froid, murmura-t-il, voulant désespérément croire à cette hypothèse. L'hiver rigoureux des Highlands, la neige…

— Non, il n'est pas mort de froid, milord. Et la neige ne l'a pas enseveli. C'est vous. C'est votre ordre d'attaquer Glencarson qui l'a tué.

Sa voix demeurait calme, mais la douleur qui affleurait sous la surface était plus insupportable que des cris ou des pleurs. Roland en eut le cœur déchiré.

Sans doute réagissait-il ainsi parce qu'il se sentait concerné. Il aurait voulu pouvoir nier toute responsabilité dans l'assaut de Glencarson. Il aurait voulu pouvoir se dédouaner de ce massacre commis en son nom. Hélas, c'était impossible.

Certes, il ne s'était pas trouvé sur place au moment de l'attaque. Mais il l'aurait pu.

— Je suis désolé, dit-il. Vraiment désolé. Ce qui s'est passé à Glencarson n'aurait pas dû arriver. C'était une erreur, et je le regretterai toujours.

Kyla s'était redressée sur le lit. Elle inspira longuement, sans cesser de le regarder. Elle semblait réfléchir à quelque chose.

— Je vais y aller, dit-elle, se levant et marchant vers la dague tombée sur le plancher.

Roland la prit de vitesse et s'empara de l'arme.

— Nous allons partir ensemble. Avez-vous des bagages à prendre?

Il la sentit se raidir.

— Je préférerais voyager avec le diable en personne plutôt qu'avec vous. Laissez-moi tranquille.

— Si vous n'avez pas d'autre bagage, je ferai en sorte qu'on vous procure des vêtements décents. La serveuse de l'auberge a sans doute quelque chose qui pourrait vous aller.

Il fourra la dague dans sa ceinture. Kyla secoua la tête.

— Je crois que vous n'avez pas bien compris, milord. J'étais venue ici pour vous tuer. Par la grâce de Dieu, je n'en ai rien fait. Mais à présent, je m'en vais.

— Pardonnez-moi, milady, mais c'est plutôt vous qui refusez de comprendre. Vous allez m'accompagner jusqu'à Londres, rétorqua Roland d'une voix doucereuse, qui se voulait parfaitement menaçante.

D'ordinaire, cela produisait l'effet escompté. Mais la jeune fille lui décocha un tel regard de défi qu'il eut presque envie de sourire de son audace.

— Je mourrai d'abord.

— Non.

— Alors, je vous tuerai à la place.

— Non, répéta-t-il.

Et il attendit.

La respiration saccadée de la jeune femme trahissait sa colère. Cependant, elle s'apaisait progressivement. Parfait, songea Roland, nous allons y arriver.

— Rendez-moi ma dague, dit-elle d'une voix atone.

— Non, milady. Pas pour l'instant. Mais peut-être plus tard.

— Elle m'appartient.

— Je vous promets d'en prendre grand soin.

Il y eut un nouveau silence tendu.

— Quand nous serons à Londres, proposa Roland, nous chercherons des preuves de l'innocence de votre père.

— Oui, *bien sûr*, ironisa-t-elle. Je vous crois volontiers. Vous n'avez plus aucune raison de me mentir, n'est-ce pas ? Et de quel droit oserais-je mettre en doute votre parole ?

Sa réplique cinglante affecta Roland. Mais il le cacha soigneusement, haussant les épaules d'un air de suprême indifférence.

— Si vous tenez absolument à me quitter, vous êtes libre, Kyla. Simplement, je demanderai aux soldats qui sont dehors de vous garder prisonnière. S'agissant de mes gens, personne ne fera de mal à une dame. Mais, ajouta-t-il avec un sourire, certains de ces soldats appartiennent à Henry. Et ils se sont vu promettre une fortune s'ils vous ramenaient à Londres, morte ou vive. Cela dit, je suppose qu'ils préféreront vous avoir vivante. Ne serait-ce que pour égayer leurs nuits. Et, petite précision qui n'est pas inutile : ils sont une bonne quarantaine.

Ignorant son sursaut indigné, il s'éloigna vers la porte.

— Peu m'importe ce que vous choisirez, Kyla. Comme vous l'avez dit, je n'ai ni âme ni conscience. Et je me vois encore moins déplorer l'inconscience d'une jeune femme qui s'obstine à refuser la main secourable qui se tend vers elle.

Il posa les doigts sur la poignée, sans se presser, avant de conclure :

— Je vous offre ma protection. Quoi que vous puissiez penser de moi, je vous épargnerai toute violence. Alors, qu'en dites-vous, milady ? Que choisissez-vous ?

Quelques braises dans la cheminée se ravivèrent brièvement, lançant des étincelles qui illuminèrent une fraction de seconde le visage de la jeune femme. Ce fut assez pour que Roland surprenne son air de résignation. Il aurait dû s'en réjouir, mais il eut honte de lui-même. Honte de la manière dont il l'avait manipulée en l'effrayant inutilement.

Décidément, cette femme avait le don de ne pas le laisser indifférent... Mais il entendait bien ne pas perdre la tête.

— Je peux difficilement vous faire confiance, murmura-t-elle, d'un ton où perçait la frustration. J'imagine que vous devez souhaiter ma mort.

— Non, milady, détrompez-vous. Je vous souhaite au contraire une vie longue et bien remplie.

Elle laissa échapper un gloussement d'incrédulité. Roland tourna la poignée et entrouvrit légèrement la porte.

— Quelle importance, de toute façon, que vous me fassiez ou non confiance, lady Kyla ? Vos options sont limitées. Soit vous me suivez de votre plein gré. Soit vous me suivrez de force.

Elle le regarda jouer avec la poignée. Puis elle coula un œil vers le balcon. Elle serrait les poings.

— Vous m'avez prise au piège. Je n'ai aucune chance de gagner.

— C'est aussi ce qu'il me semble, répliqua Roland.

Et il ouvrit la porte en grand.

Ses yeux étaient gris.

Ni verts ni bleus, mais une sorte de gris argenté, avec des éclats noirs. Il n'avait jamais vu d'yeux semblables.

Elle chevauchait à côté de lui, en silence, et ses beaux yeux étaient indifférents, comme si elle voulait ignorer les soldats qui les escortaient.

La robe, bleu et vert, que lui avait procurée Roland par le truchement de l'aubergiste ne lui allait pas. Elle était trop large pour elle. Cependant elle l'avait acceptée sans rien dire, et l'avait sagement enfilée dans la chambre qu'il lui avait louée. Une chambre – fallait-il le préciser ? – particulièrement bien gardée.

C'était depuis ce moment que durait son silence. Et elle ne l'avait pas brisé une seule fois depuis qu'elle était ressortie de la chambre dans sa nouvelle tenue. Elle avait accepté sans piper mot la selle d'amazone qu'il avait réussi à lui acheter dans le bourg – c'est à peine si elle avait haussé un sourcil, comme si l'objet l'avait un instant déroutée.

Roland se doutait bien qu'elle était parfaitement capable de monter à cru – et probablement l'avait-elle souvent fait. Il pouvait même se représenter cet intéressant spectacle : elle devait avoir l'air d'une sylphide. Mais il n'était pas question qu'elle arrive à Londres dans cet équipage. Henry aurait désapprouvé.

Même sur sa selle, elle ressemblait à une nymphe des bois qui aurait émergé pour la première fois de sa forêt, tant elle semblait étrangère aux soldats qui l'entouraient. Ses cheveux flamboyants, sa peau aussi pure que l'albâtre et ses yeux étonnants lui conféraient un air irréel. Roland se demandait comment elle avait bien pu traverser l'hiver et survivre à toutes les épreuves qui lui avaient été infligées. Sans doute était-ce un miracle.

De temps en temps, il la voyait se pencher pour flatter l'encolure de son étalon, mais ses gestes s'arrêtaient là. Pour le reste, elle était aussi rigide que si on la conduisait à l'échafaud.

Et peut-être pensait-elle que c'était effectivement ce qui l'attendait.

Roland pouvait difficilement la blâmer de ne pas lui faire confiance. Elle aurait même baissé dans son estime si cela avait été le cas. Car cela aurait trahi, de sa part, une trop grande crédulité.

Mais non, elle n'était pas crédule. Elle devait même posséder un caractère et une volonté d'acier, pour avoir réussi à traverser l'Écosse sans encombre. Et nul doute qu'elle devait le vouer aux gémonies.

Roland ne comprenait pas, en revanche, pourquoi il se préoccupait autant de savoir ce qu'elle pensait de lui. Quelle importance, après tout? Lady Kyla n'avait pas besoin de l'aimer pour qu'il désire la sauver. Il avait une mission à remplir – une mission d'honneur – et tant pis si elle était incapable de le comprendre. Il poursuivrait dans la voie qu'il s'était fixée.

Roland Strathmore ne s'était jamais laissé gouverner par ses émotions. Les émotions, quelle que soit leur nature, étaient des manifestations encombrantes et fastidieuses de sentiments qui avaient tendance à vous égarer l'esprit. Or, il refusait que son esprit s'égare alors que l'action le réclamait.

La seule « émotion » qu'il s'autorisait, car il pouvait la contrôler, était son sens de l'humour. Dans chaque situation, il était capable de percevoir une ironie sous-jacente, que parfois il ne se privait pas d'exploiter.

Mais il était encore plus facile de ne rien ressentir du tout. Et il aimait ne rien ressentir.

Remiser tout sentiment lui avait permis de triompher de son passé et d'atteindre sa position actuelle. Il avait toujours estimé que le surnom d'« Âme damnée » ne lui convenait pas réellement, car il n'avait conclu aucun pacte avec le diable, et il n'était certainement pas animé par des pulsions diaboliques.

Non, il s'en remettait plutôt à des notions simples, limpides, comme l'honneur, la justice. Des notions qui n'avaient pas besoin de sentiments et qui justifiaient, pour leur mise en œuvre, qu'on puisse parfois recourir à tous les expédients. C'est dans cet esprit qu'il servait son souverain. Et qu'il gouvernait son propre domaine, à Lorlreau. Quand il en aurait terminé avec Kyla Warwick, le roi lui permettrait de se retirer dans ses terres – c'étaient les termes de l'accord conclu entre eux.

Le fait que lady Kyla possédât des yeux extraordinaires ne changerait rien à l'affaire. Et ses somptueux cheveux aux reflets flamboyants n'étaient qu'un détail intéressant à noter.

Ainsi qu'il l'avait promis, il plaiderait la cause de la jeune femme devant Henry. Après tout, elle n'avait pas à payer pour les fautes de son père. Et il demanderait à ses espions d'enquêter sur les assassinats de Gloushire et de la baronne Rose-mead – en toute discrétion, bien sûr. Mais ce serait tout. C'était déjà beaucoup plus que l'on ne pou-vait attendre de sa part, et il n'irait pas plus loin.

Ce que déciderait ensuite le roi n'était pas son problème.

Lady Kyla, de toute façon, s'en sortirait aisément. Même à supposer que Henry ordonne de l'enfer-mer quelques mois dans une cellule de la Tour de Londres, elle finirait par être libérée. Et une jeune femme aussi séduisante et aussi riche ne manque-rait pas alors de prétendants, malgré la disgrâce tombée sur sa famille.

Au déjeuner, elle se tint à l'écart, mâchant pen-sivement le morceau de tourte à la viande que Roland lui avait tendu. Elle s'était assise près de son cheval, qui lui soufflait de temps à autre gen-timent dans les cheveux. À un moment, elle prit une pomme, qu'elle offrit à l'animal. Il s'en saisit avec un grognement de contentement.

Kyla regarda l'étalon manger la pomme en son-geant qu'elle devrait lui trouver un nom. Malcolm ne l'ayant jamais baptisé, elle serait entièrement libre de son choix.

— Il te faudrait un joli nom, murmura-t-elle à l'animal. Qu'est-ce qui te plairait ?

Les hommes de leur escorte n'avaient cessé de l'observer depuis qu'ils avaient quitté l'auberge. La matinée entière s'était écoulée, et à présent Kyla commençait à se lasser de ces regards. C'était la première fois qu'elle était l'objet de l'attention per-sistante du sexe opposé – en l'occurrence, une armée de soudards ! Les amis de son père l'avaient toujours traitée avec déférence, et les nobles de la cour qui s'étaient intéressés à elle l'avaient fait avec une discrétion presque comique.

Le contraste, ici, était donc saisissant. Kyla avait presque envie de baisser la tête et de dissimuler son embarras sous la capuche de son manteau. Elle n'en fit rien, cependant, laissant la capuche rabattue dans son dos et gardant la tête bien droite, le regard perdu dans le lointain. Elle voulait montrer à ces soudards anglais qu'elle n'était pas affectée par leurs manières grossières, et qu'elle leur accordait aussi peu d'importance qu'à une mouche qui volerait autour d'elle.

Son repas terminé, elle se releva et remit ses jupes en place. Puis elle se tourna vers son cheval pour lui caresser le museau.

— Que dirais-tu d'Adonis ?

L'étalon souffla bruyamment.

— Non ? Tu n'aimes pas ? Alors, Apollon ? Ou Priam ? Ou Zeus ?

— Zéphyr, dit une voix derrière elle. Appelez-le Zéphyr.

L'étalon hocha vigoureusement la tête.

Kyla ne prit même pas la peine de pivoter vers celui qui arrivait à sa hauteur.

— Il est très impoli, lord Strathmore, d'écouter les conversations des dames.

— Même lorsque la dame converse avec un cheval ? demanda-t-il d'un ton innocent.

Elle lui décocha un regard à le geler sur place.

— Peu importe la conversation. Mais j'aurais dû me douter que vous ignoriez la courtoisie.

— Il aime Zéphyr, insista Roland qui caressait l'encolure du cheval. Et c'est un bon nom, pour lui.

Kyla fronça les sourcils.

— Zéphyr, prononça-t-elle comme pour tenter un essai.

Et aussitôt l'étalon tourna la tête dans sa direction.

— Bon, très bien… maugréa-t-elle.

Roland était ravi de l'entendre enfin parler, même si elle était de mauvaise humeur. Sa voix avait une résonance particulière, qui flattait ses sens et lui inspirait certaines images dont, heureusement, elle ne pouvait pas se douter.

— Zéphyr, parce que je suis sûr qu'il galope aussi vite que le vent, dit-il pour se changer les idées.

— Oui, en effet, admit Kyla.

Elle se souvenait, en particulier, d'une petite vallée qu'ils avaient traversée quelques jours plus tôt. L'herbe y était grasse, et pour une fois vierge de tout rocher. Elle avait lâché la bride à l'étalon qui avait foncé tête baissée, semblant survoler le sol. Kyla, les cheveux au vent, avait connu quelques minutes de bonheur intense.

Réalisant soudain que Strathmore l'observait, elle fit mine de vérifier le mors de l'animal. Puis, comme il la regardait toujours, et que le mors était parfaitement en place, Kyla n'eut d'autre choix que de lui faire face. Le vent balaya une mèche de cheveux devant ses yeux, qu'elle repoussa d'un geste impatient.

— Êtes-vous prêt à repartir, milord ? Ce voyage m'étant déjà très pénible, j'aimerais qu'il s'achève le plus rapidement possible.

Il pinça les lèvres.

— Oui, milady.

Il tourna les talons et donna aux soldats l'ordre de remonter en selle.

La journée était trop radieuse pour songer à la mort, et pourtant Kyla ne s'en privait pas. Ils chevauchaient à faible allure comme si Strathmore, maintenant qu'il l'avait capturée, ne voulait pas fatiguer ses bêtes pour rentrer à Londres.

Plus ils descendaient vers le sud, et plus le paysage changeait. Les forêts de résineux des Highlands avaient cédé la place à des massifs où toutes sortes d'arbres rivalisaient de couleurs printanières. Des oiseaux chantaient joyeusement dans leurs branches, et les rayons du soleil se frayaient un chemin jusqu'au sol dans une débauche de lumière.

Kyla était bercée par le rythme lent de la chevauchée, et ses pensées battaient allègrement la campagne.

Elle n'imaginait pas que Henry déciderait de la tuer. Après tout, ce n'était pas elle qui était accusée de meurtre. Son seul crime était de s'être enfuie avec son père. Et elle pourrait toujours prétendre qu'il l'avait obligée à le suivre.

Mais bien sûr, elle ne dirait jamais une chose pareille. Il n'était pas question qu'elle mente – même pour sauver sa tête. Sa loyauté envers son père serait infaillible, quelles qu'en soient les conséquences.

D'ailleurs elle était convaincue que Henry lui laisserait la vie sauve pour une autre raison : il l'avait toujours appréciée. Cela dit, elle ne devait pas oublier qu'il avait également apprécié son père. Ce qui ne l'avait pas empêché de mettre sa tête à prix.

Elle avait rencontré le souverain à plusieurs reprises et, chaque fois, il était venu la saluer. Du reste, elle ne se faisait pas d'illusions : c'était pour cela que les courtisans s'intéressaient autant à elle. Henry, elle l'avait lu dans ses yeux, lui réservait un traitement de faveur par rapport aux autres jeunes femmes de la cour. Mais à l'époque, elle s'était imaginé que c'était parce qu'il aimait beaucoup son père. Et aussi sa mère, qui avait été l'une des dames d'atour de la reine Matilde.

Quoi qu'il en soit, elle était persuadée que le roi ne se montrerait pas assez cruel pour exiger la mort d'une jeune femme qu'il avait à plusieurs reprises appelée, par galanterie, «le plus beau rubis de la cour».

Mais alors, quelle serait sa punition – sachant qu'elle refuserait de reconnaître la culpabilité de son père? Et qu'elle ne s'excuserait pas de s'être enfuie? En outre, elle en voulait à Henry d'avoir pourchassé sa famille dans l'intention de la détruire totalement, et elle n'était pas sûre d'être capable de lui cacher le mépris qu'il lui inspirait désormais.

Elle avait entendu dire qu'il était un homme intelligent et juste. Mais, comme tous les rois, il était aussi imbu d'orgueil. Il ne pourrait pas se permettre de perdre la face devant sa cour, lorsque Kyla y ferait son entrée. En revanche, il pouvait décider de la recevoir en privé. Cette solution serait évidemment préférable, car de cette manière il serait plus enclin à pardonner.

La jeune femme, cependant, avait cruellement conscience de sa solitude et de son isolement. Quel que soit son avenir, il serait marqué du sceau de la disgrâce paternelle. À moins, bien sûr, qu'elle ne réussisse à laver son nom de tout opprobre. Or, il n'y avait plus grand espoir de ce côté-là. Lord Strathmore le lui avait fait clairement comprendre.

L'annonce, un an plus tôt, de ses fiançailles avec l'homme qui chevauchait aujourd'hui à son côté avait été inattendue. Mais plutôt bien accueillie dans la famille.

Certes, Conner s'était plaint, à moitié en plaisantant, qu'il ne pouvait se permettre de perdre sa fille chérie. Car sinon, qui jouerait aux échecs avec lui, le soir après dîner ? Qui saurait choisir les vins qu'il préférait ? Personne ne connaissait aussi bien les petites manies de son père, dont la liste était si interminable que sa mère en soupirait souvent. Cependant, il avait sincèrement été ravi, passé le premier moment de chagrin, de l'honneur fait à sa fille.

Kyla avait évidemment été la plus surprise par ces fiançailles, mais elle avait trouvé la nouvelle excitante. En se mariant, elle habiterait sa propre maison – au moins un manoir, peut-être même un château. Elle porterait un nouveau nom, connaîtrait une nouvelle vie, et son mari serait à ses côtés pour la protéger. Car elle ne doutait pas que tous les hommes ressemblaient à son père. Dans ces conditions, la perspective de fonder une famille la ravissait.

Mais c'était avant qu'elle n'apprenne la réputation de « l'Âme damnée de Henry ». Conner, cependant, lui avait assuré que Strathmore était un authentique gentleman. Elle avait donc voulu se raccrocher à cet espoir. De toute façon, elle n'avait pas le choix. Mais tout de même : le soutien de son père l'avait réconfortée.

Et c'était d'ailleurs en songeant à ce qu'aurait dit son père qu'elle avait renoncé, dans l'auberge, à tuer Strathmore.

Pourtant, elle était certaine qu'elle aurait pu réussir. Elle savait manier la dague, et elle était animée d'une haine assez farouche pour porter un coup mortel. Strathmore ne méritait-il pas un tel sort ?

Mais le visage de son père s'était soudain imprimé sur sa rétine. Et sa voix chérie avait résonné à ses oreilles :

— Ne crois pas tout ce que tu entends à son sujet, ma chérie. Ceux qui le dépeignent vilainement ne sont que des jaloux et des envieux. C'est quelqu'un de bien. Il sera un bon mari pour toi...

Conner avait suffisamment estimé Strathmore pour accepter de lui donner sa fille. Et donc, d'une certaine manière, c'était lui qui avait sauvé la vie de ce gredin.

À présent, Kyla se retrouvait à chevaucher à côté de lui. Et elle ne savait plus rien de son propre avenir.

Une chose était sûre : le mariage n'était plus pour tout de suite. Elle doutait même de se marier un jour, car qui voudrait d'elle désormais, à part les hommes les plus bassement intéressés ? Or, l'idée d'épouser un homme qui ne verrait en elle qu'un moyen de se faire bien voir auprès du roi la révulsait.

Elle préférait mourir que de descendre aussi bas.

D'un autre côté, elle n'avait plus guère le choix, ainsi que Strathmore le lui avait fait valoir. Elle serait déférée à Londres, exhibée devant la cour, puis enfermée dans la Tour pour quelques jours, quelques mois ou même quelques années, avant que Henry ne se décide à lui accorder son pardon. En échange de ce pardon, elle serait mariée à un noble de petite extraction, qui attendrait d'elle une reconnaissance éternelle pour avoir consenti à la prendre sous sa protection.

À moins de s'enfuir, elle n'aurait aucun moyen d'échapper à cette perspective désolante.

La fuite ne résoudrait pas tout, bien sûr. Son existence deviendrait beaucoup plus précaire. La pauvreté la menacerait. Mais elle demeurerait libre de ses choix et de ses gestes.

Kyla ferma les paupières et desserra son étreinte sur les rênes. Zéphyr maintint l'allure. La jeune femme, simulant alors un peu plus la fatigue, se pencha légèrement en avant, comme si l'assoupissement la gagnait. Puis son dos s'inclina de manière perceptible. Enfin, elle parut menacer de basculer à la renverse.

Aussitôt, comme elle s'y attendait, l'ordre tomba de faire halte, et Kyla se sentit tirée de sa selle par des bras musclés. Elle feignit de se réveiller en sursaut.

— Ô mon Dieu! s'exclama-t-elle, du ton de la plus parfaite innocence.

Lord Strathmore la dévisageait avec une sincère inquiétude.

— Vous sentez-vous bien, milady?

Il l'avait prise avec lui sur sa selle, et Kyla, pratiquement collée à lui, ne pouvait pas ignorer l'aura de virilité qui se dégageait de sa personne.

Ne sois pas idiote, se morigéna-t-elle. Ce n'était vraiment pas le moment de succomber au charme de ce gredin. Elle devait continuer à jouer la comédie.

— Milord… murmura-t-elle d'une toute petite voix. Je me sens épuisée. Ne pourrions-nous pas nous arrêter pour nous reposer?

Il la serra un peu plus fort contre lui, comme s'il craignait qu'elle ne tombe.

— Je n'ai pas beaucoup dormi cette nuit, ajouta-t-elle, ce qui était la vérité.

Et elle fit semblant d'être un pantin dans ses bras, prenant garde cependant de ne pas glisser à terre.

Roland la serra encore davantage. Kyla fut tout à coup enivrée par son odeur – un mélange fascinant de terre et d'aiguilles de pin. Elle ne désirait plus qu'une seule chose, à présent : rester dans ces bras virils, à l'abri de tout danger.

Il mit pied à terre, parvenant sans effort à entraîner la jeune femme dans son mouvement. Et, la gardant dans ses bras :

— Nous camperons ici pour la nuit, annonça-t-il. C'est un bon endroit pour bivouaquer. De toute façon, il ne restait guère plus d'une heure avant la nuit.

Il la porta jusqu'à un petit tertre moussu, que dominait un grand chêne.

— Reposez-vous, milady. Votre tente sera prête dans quelques minutes.

Kyla se sentait un peu coupable devant tant de sollicitude, mais elle s'empressa de bannir ses scrupules. Il n'était pas question qu'elle fléchisse maintenant, malgré le plaisir qu'elle éprouvait à être dans ses bras. Il restait son ennemi. À cause de lui, elle serait bientôt déférée devant le roi. Et conduite à la Tour de Londres.

Elle avait visité la célèbre prison une fois[1]. En cachette. Ses parents, en effet, lui avaient formellement interdit de s'y rendre. Elle avait donc tout arrangé elle-même, économisant sur son argent de

---

1. À cette époque, la Tour de Londres, vaste forteresse moyenâgeuse, servait à la fois de résidence royale – le roi y habitait – et de prison semblable à la Bastille, située dans son donjon *(N.d.T.)*.

poche pour soudoyer le fils d'un courtisan se rendant fréquemment au donjon. Kyla s'était ensuite déguisée en garçon, et le fils du courtisan l'avait présentée à son père comme un ami curieux de voir l'intérieur de la prison.

Sa visite l'avait marquée. Même au plein cœur de l'été, les cellules demeuraient froides, humides et sombres. Elles ne comportaient qu'une misérable paillasse, sans couverture, une table de bois brut et une seule chandelle. Les rats couraient partout comme s'ils étaient chez eux.

L'ensemble dégageait un parfum de désolation, d'où était absent tout espoir. Elle avait même vu le spectre de la mort se refléter dans les yeux du prisonnier auquel ils avaient rendu visite ce jour-là – un Français accusé de conspiration contre la Couronne.

Kyla n'avait rien dit, ainsi qu'elle en avait reçu l'ordre, et elle avait tenté d'ignorer les suppliques du prisonnier qui demandait au courtisan d'abréger sa vie, de faire cesser la torture qu'il vivait entre ces murs.

Finalement, elle avait baissé les yeux, pour ne plus voir cet homme assis devant elle, qui tremblait de tous ses membres.

Voilà pourquoi, assise sous le chêne au pied duquel l'avait déposée lord Strathmore, Kyla inspectait des yeux la forêt autour d'elle, avec la ferme intention de s'enfuir sur le chemin de la liberté.

4

Cette nuit-là, elle dormit dans la tente que les soldats avaient érigée pour elle, enroulée dans des peaux et des couvertures pour ne pas prendre froid. C'était un hébergement luxueux en comparaison de ce qu'elle avait connu ces derniers temps, et elle entendait en profiter le plus possible. Sa nuit fut paisible, surveillée par six hommes qui montaient la garde autour de sa tente.

L'histoire, elle le savait, était pleine d'enseignements. Kyla avait toujours pris beaucoup de goût aux études, si bien que ses parents avaient embauché plusieurs précepteurs pour elle et Alister. Elle connaissait ainsi les mathématiques, le latin, le français, la géographie, et même un peu d'astronomie.

Et elle connaissait donc l'histoire.

L'histoire lui avait appris les péripéties de la conquête romaine, plusieurs siècles plus tôt, et les difficultés rencontrées par les soldats romains pour maîtriser cette partie de l'Angleterre. Les bois, dans cette région, pouvaient se révéler traîtres, dissimulant des marécages insoupçonnables. Et souvent, d'épais brouillards montaient du sol, rendant toute visibilité impossible.

Kyla avait diverti Alister, lors de leur voyage vers l'Écosse, avec les récits dont elle se souvenait, les embellissant à l'occasion, pour mieux se distraire elle-même de la réalité de leur situation. Cela avait réussi un temps, en particulier lorsqu'ils avaient été témoins de ces fameux brouillards, qui avaient plombé la campagne tous les matins pendant près d'une semaine.

Une fois, ils avaient même été obligés de s'arrêter une journée entière, tellement le brouillard était intense et persistant.

— Crois-tu que les fantômes des soldats romains hantent toujours les parages ? avait demandé Alister, vaguement inquiet, tandis qu'ils étaient blottis l'un contre l'autre.

— Non, avait répondu Kyla. Ils n'oseraient pas nous importuner. Nos ancêtres les ont vaincus par le passé. Leurs esprits sont aujourd'hui nos anges gardiens.

Elle avait dit cela avec toute la ferveur et l'assurance de quelqu'un qui veut croire à ses paroles. Alister avait hoché la tête, rasséréné.

Cet épisode était resté imprimé dans sa mémoire. Aussi, le lendemain matin, quand Kyla sortit de sa tente après une bonne nuit de sommeil et qu'elle découvrit que le brouillard s'était levé, se réjouit-elle intérieurement. Son petit déjeuner avalé, elle monta tranquillement sur Zéphyr, et la troupe reprit sa marche. Mais elle écoutait attentivement les propos qu'échangeaient les hommes.

— Cette purée de pois va se lever, déclara celui qu'elle pensait être le capitaine.

Mais sa voix manquait de conviction. Et les marmonnements des soldats prouvaient qu'ils n'étaient pas dupes.

La suite leur donna raison.

Le brouillard, en effet, loin de s'éclaircir sous l'effet des rayons du soleil, ne fit que s'épaissir tout au long de la matinée, bloquant pratiquement la vue. On ne distinguait plus que les vagues silhouettes des cavaliers et de leurs chevaux.

Kyla savait que lord Strathmore ne la sous-estimait pas. Six hommes pour garder sa tente ! Il n'avait pas tort, d'ailleurs : dès qu'elle avait compris qu'elle ne pourrait échapper à ce voyage jusqu'à Londres, la jeune femme n'avait pas cessé de réfléchir à un moyen de fausser compagnie à ses « ravisseurs ».

Elle était convaincue que ce ne serait pas très difficile. Certes, son expérience des hommes était limitée – elle n'avait côtoyé, jusqu'ici, que des domestiques, des précepteurs et les quelques gentilshommes croisés à la cour. Mais elle avait appris depuis longtemps que la moindre manifestation de faiblesse ou d'incapacité était toujours perçue par les hommes comme la preuve de l'infériorité féminine – dans tous les domaines, y compris celui de l'intelligence.

Avec ses précepteurs, par exemple, chaque fois qu'elle avouait ne pas comprendre quelque chose, elle s'attirait un regard apitoyé, quelques paroles de réconfort, puis le cours passait à un sujet plus facile. Tandis que lorsque son frère formulait un aveu identique, il avait droit à un déluge d'explications plus approfondies.

Kyla avait tenté de contourner cette inégalité de traitement, en posant ses questions avec des termes soigneusement choisis. Elle n'avait fait que susciter une plus grande arrogance de la part de ses précepteurs.

Mais elle savait tirer profit de ses erreurs. Et elle était convaincue qu'elle n'aurait aucune peine à berner ces soldats en leur faisant croire qu'elle n'était qu'une faible femme, épuisée par cette chevauchée dans la brume.

Elle avançait donc d'un air morne, parfaitement consciente que la pâleur naturelle de son teint servirait ses projets.

En prime, elle aurait pu essayer de fondre en larmes. Mais elle craignait de ne pas être tout à fait convaincante, n'étant pas du genre à pleurer facilement. Non, son attitude devrait suffire à les persuader qu'elle était au bord de défaillir. En tout cas, il faudrait que cela suffise.

Quoi qu'il en soit, il lui serait impossible de s'enfuir sans son cheval. Or, la nuit dernière, elle n'aurait eu aucune chance d'extraire Zéphyr du lot des autres montures sans éveiller l'attention des gardes préposés aux chevaux. Sans parler, bien sûr, des six gaillards postés devant sa tente. Ce qui voulait dire qu'elle devrait se trouver à cheval quand l'occasion propice se présenterait. Et cela voulait donc dire également que ce moment aurait lieu dans l'après-midi.

Elle n'était pas assez naïve pour s'imaginer que le chemin s'éclaircirait comme par magie devant elle, le brouillard reculant à mesure qu'elle avancerait. C'était trop demander. Mais elle avait besoin d'un petit coup de pouce du destin pour l'aider. Et c'était ce signe qu'elle attendait.

En outre, elle devrait surveiller attentivement son seul véritable adversaire. Car elle se doutait bien que lord Strathmore ne se laisserait pas aussi facilement abuser que les autres.

Il chevauchait près d'elle, calquant son allure sur celle de son cheval. Kyla n'était pas vraiment surprise : elle s'attendait à ce qu'il prenne toutes les précautions. De temps à autre, elle coulait un regard vers lui et constatait qu'il ne relâchait pas sa vigilance.

Une fois, leurs regards s'accrochèrent, et le bleu vibrant de ses yeux donna à la jeune femme l'impression d'une flambée de chaleur au milieu de tout ce froid humide. Il lui sourit, comme s'il voulait la rassurer, et elle lui retourna son sourire sans réfléchir. Il avait un sourire tellement irrésistible qu'elle brûlait d'envie de tracer le contour de ses lèvres avec ses doigts, dans l'espoir que sa joie se communique à elle.

Mais Kyla se reprit très vite et détourna la tête. Il n'était pas question de céder au moindre égarement qui la détournerait de ses projets. Lord Strathmore était peut-être bel homme, il était avant tout son ennemi, elle ne devait surtout pas l'oublier.

— Ho ! cria soudain une voix, vers l'avant.

— Ho ! lui fit écho quelqu'un.

Le cri se répéta le long de la colonne de cavaliers, devenant plus fort et plus distinct jusqu'à atteindre Kyla et Roland. Les chevaux, entre-temps, avaient commencé de ralentir. Probablement la tête de colonne hésitait-elle, à un embranchement, sur le chemin à suivre.

Lord Strathmore s'avança pour donner des ordres.

La jeune femme profita de la confusion pour faire obliquer son cheval sur la gauche, à travers un sentier qui s'ouvrait dans les bois. Zénith obéit sur-le-champ, et en une seconde le brouillard se referma sur eux.

Kyla, la gorge sèche, sentait son cœur battre à tout rompre dans sa poitrine. Elle tendit l'oreille : rien, pour l'instant. Les autres ne s'étaient pas encore aperçus de sa disparition. Elle se pencha sur sa selle et lança son cheval en avant.

Mais bientôt un tumulte de voix s'éleva dans le silence ouaté. Et la jeune femme entendit qu'on criait son nom.

Elle glissa à terre et continua à pied, tirant Zéphyr par les rênes, convaincue qu'elle avait ainsi plus de chances de leur échapper qu'en se jetant dans une fuite éperdue à travers bois – sans compter que ce brouillard rendrait tout galop périlleux.

Les soldats approchaient déjà, sans se soucier de faire du bruit. Et Kyla pouvait maintenant entendre lord Strathmore l'appeler. Il y avait, dans sa voix, une sorte de lassitude qui la troubla davantage que s'il avait manifesté de la colère. Car cette lassitude semblait vouloir dire qu'elle serait de toute façon rattrapée, qu'elle ne faisait que retarder son sort, mais qu'elle n'y échapperait pas.

— Lady Kyla ! Ne rendez donc pas les choses plus difficiles ! lui lança-t-il, avec une assurance qui troubla un peu plus la jeune femme.

Je n'ai pas peur, se dit-elle fermement. Mais elle avait la gorge serrée.

Une branche basse se prit dans ses cheveux, la tirant douloureusement en arrière et manquant la faire tomber. Il lui fallut quelques secondes pour se dégager.

Ce n'était pas le moment de perdre son sang-froid. Kyla ignorait où elle se trouvait, comme la direction qu'elle avait prise. Elle savait seulement que quelques dizaines de mètres, tout au plus, la séparaient de Strathmore et des soldats. Elle devait absolument préserver son avantage. Sinon, c'était la Tour de Londres.

L'humidité plaquait ses cheveux sur son visage et alourdissait ses jupes, rendant sa progression plus difficile. Pendant ce temps, les soldats gagnaient du terrain. Pour couronner le tout, le vent se levait, agitant des lambeaux de brume devant elle.

Ça, c'était plus ennuyeux. Si le brouillard se dissipait, elle ferait sans doute mieux de renoncer tout de suite.

— Maudite femme, marmonna un soldat, pas très loin derrière elle.

— Maudite sorcière, oui ! renchérit un second, provoquant l'assentiment des autres.

Kyla comprit que, pour leur échapper, elle devrait prendre une direction dans laquelle ils ne songeraient pas à la chercher. En d'autres termes, le mieux serait de faire demi-tour, en se repérant au son de leurs voix pour les contourner. De cette manière, les soldats finiraient par la dépasser sans s'en apercevoir, et s'éloigneraient définitivement d'elle.

Une main en visière devant ses yeux pour se protéger des branches les plus basses, Kyla suivit son plan, accélérant le pas. Cependant, elle entendait toujours les soldats à proximité. N'arriverait-elle donc pas à s'en débarrasser ?

Elle craignait vraiment, à présent, d'échouer dans sa tentative.

En désespoir de cause, elle lâcha les rênes de Zéphyr. L'animal s'immobilisa, placide. Kyla tenta gentiment de le pousser, par l'encolure, mais il ne bougea pas davantage.

Finalement, elle lui administra une claque sur les flancs. L'étalon tourna la tête et lui décocha un regard de reproche.

S'il te plaît, l'implora-t-elle silencieusement. S'il te plaît, va de l'avant !

L'animal se résolut enfin à partir seul. Il fut aussitôt avalé par le rideau de brouillard.

Kyla attendait beaucoup de cette diversion pour lui faire gagner du temps. Elle se mit à courir afin de contourner les soldats.

Malgré tout, elle n'était toujours pas convaincue de réussir.

Elle crut distinguer, sur sa gauche, la silhouette d'un cheval, mais le brouillard l'engloutit presque aussitôt. Les soldats se parlaient maintenant entre eux à voix basse. De toute évidence, ils avaient compris qu'il ne servirait à rien de l'appeler : ce n'étaient pas leurs cris qui l'inciteraient à revenir. Kyla n'entendait pas non plus lord Strathmore.

La silhouette se matérialisa de nouveau. C'était bien un cheval. Avec un cavalier dessus. Kyla pressa l'allure. Mais personne ne cria après elle. Peut-être n'avait-elle pas été repérée ? Malheureusement, ce cavalier n'était probablement pas isolé. Un autre, près de lui, ne tarderait pas à l'apercevoir…

Un bruit de sabots vint confirmer ses appréhensions. Par chance se dressait devant elle un grand sapin dont le tronc, large et parsemé de branches basses, invitait à l'escalade.

L'écorce en était rugueuse, et Kyla s'écorcha les paumes, mais elle n'en avait cure. Elle se trouvait à quelques mètres au-dessus du sol quand les cavaliers passèrent pratiquement sous elle. Elle se colla au tronc.

— Quelle foutue perte de temps, maugréait l'un des soldats. Nous ferions mieux de l'abandonner aux loups.

— Tu n'as qu'à renoncer, lui suggéra son compagnon. Et je garderai la récompense pour moi seul.

Kyla les distinguait parfaitement. S'ils avaient levé le regard, ils l'auraient immédiatement repérée. Et ils avançaient si lentement qu'elle n'osait même plus respirer. L'un des chevaux hennit, comme s'il avait deviné sa présence, et la jeune femme dut se mordre la lèvre pour contenir le gémissement d'effroi qui faillit lui échapper. Elle ferma les yeux.

— Eh bien, dit le soldat à son cheval. Que t'arrive-t-il ?

Kyla rouvrit les yeux. Le soldat s'était immobilisé, ainsi que son compagnon, et il regardait autour de lui.

— Son cheval ! cria soudain une voix, au loin.

Dieu soit loué ! Et béni soit Zéphyr ! Les deux soldats étaient maintenant en alerte :

— Tu crois qu'ils ont retrouvé son cheval ?

— Oui, ça en a tout l'air.

Le cri se répéta, comme une confirmation. Les deux soldats partirent aussitôt, laissant Kyla de nouveau seule dans le brouillard.

Elle attendit, à l'affût du moindre bruit, avant de redescendre prudemment de l'arbre, branche par branche.

— Où seriez-vous allée, milady, si vous aviez réussi à vous enfuir ?

Kyla ne put retenir un cri. Sa main manqua la branche qu'elle s'apprêtait à saisir, la déséquilibrant, et elle comprit que plus rien ne la retiendrait à présent de tomber.

Elle s'affala sur quelque chose de dur, qui poussa un grognement et s'écroula sous elle, amortissant sa chute.

La tête lui tournait. Elle sentit lord Strathmore, qui grognait de plus belle, la repousser de côté pour se dégager. Puis il se redressa sur un coude afin de l'examiner avec curiosité. Ses beaux yeux turquoise n'affichaient aucune trace de la colère qu'elle s'était attendue à y trouver. Au contraire, il souriait d'un air entendu. Comme s'il s'amusait de cet épilogue qu'il avait prévu depuis le début.

Kyla cligna des paupières, pour effacer les étoiles qui dansaient devant ses yeux.

— Eh bien, dit Roland, il semblerait que le destin nous contraigne à nous retrouver dans les circonstances les plus étranges.

Et là-dessus, il s'empara de ses lèvres.

5

Ses lèvres étaient douces et délicieuses, exactement comme Roland les avait imaginées – et son imagination avait beaucoup travaillé depuis qu'il avait rencontré la jeune femme.

Lui caressant la joue, il s'émerveilla du satiné de sa peau, que la brume avait parsemée de perles de rosée.

Elle demeurait immobile, lèvres closes, ses yeux grands ouverts trahissant sa stupéfaction. Il approcha doucement sa main, juste pour qu'elle soit obligée de les fermer. Il fit alors de même et pressa plus fort ses lèvres contre les siennes.

Cette fois, sa bouche s'ouvrit. Peut-être pour protester, mais Roland en profita, mêlant sa langue à celle de la jeune femme, tandis que de son autre main il lui caressait les cheveux, dont la texture soyeuse était criblée d'aiguilles de pin.

Il avait conscience de commettre une entorse à sa règle de conduite. Ce n'était pas son genre de vouloir abuser de quelqu'un placé sous sa protection – en l'occurrence une femme qui n'avait nulle part où aller. Il aurait dû cesser. C'était mal.

Et en même temps, terriblement agréable.

Le désir qu'elle avait suscité en lui lors de cette fameuse nuit à l'auberge ne s'était pas calmé, malgré toutes ses tentatives pour se raisonner. Au contraire, il n'avait cessé de croître tout au long de la journée d'hier, et encore ce matin. Et à présent que la jeune femme était dans ses bras, ce désir prenait totalement le dessus. D'autant qu'elle avait noué les mains à son cou, et qu'elle lui rendait maintenant son baiser.

La serrant plus fort contre lui, il l'abreuva de petits baisers – sur les lèvres, les joues, dans le cou, derrière l'oreille – jusqu'à ce qu'elle laisse échapper un petit gémissement, purement féminin, qui incendia un peu plus ses veines.

Puis il lui mordilla le lobe de l'oreille, et Kyla se reposa contre lui, dans une posture d'abandon. Roland s'empara alors à nouveau de ses lèvres, cette fois avec un appétit féroce, oublieux du temps et de l'espace. Plus rien ne comptait que cette jeune femme, pourtant encore une étrangère deux jours plus tôt, mais qu'il avait le sentiment d'avoir connue de toute éternité.

Car il savait comment la tenir dans ses bras, lui caresser les seins et l'embrasser pour faire renaître le gémissement de tout à l'heure.

Elle-même, en retour, savait parfaitement le toucher au cœur. Et le baiser qu'elle lui rendit fut passionné.

Sa cotte de mailles gênait Roland : elle opposait, entre leurs deux corps, un écran qui lui était une vraie torture. Mais la cotte de mailles ne descendait pas plus bas que sa ceinture, et comme il serrait la jeune femme de plus en plus fort, celle-ci sentit palpiter, contre sa cuisse, son membre érigé.

Elle poussa un petit cri, qui résonna différemment des précédents. Et toute trace de passion déserta brusquement ses yeux. De toute évidence, elle revenait sur terre. Et elle avait peur.

Roland se sentait lui-même partagé entre son désir – brûlant – et la réalité. La réalité l'emporta. Il la relâcha, roula de côté et prit une profonde inspiration.

— Vous voyez ce qui arrive aux jeunes femmes qui désertent leur escorte ? murmura-t-il, une note de dérision dans la voix.

Elle s'assit, l'air incertain.

— Vous étiez censé me protéger, lui lança-t-elle finalement, sur un ton de reproche.

Roland tendit la main pour ôter les aiguilles de pin qui restaient accrochées à sa chevelure.

— En effet, se contenta-t-il de répondre, ne voyant pas quoi ajouter.

Après tout, elle avait raison. Il s'était mal conduit. Elle lui permit de nettoyer ses cheveux, sans bouger, avant de lâcher :

— Laissez-moi, maintenant.

Roland comprit qu'il ne s'agissait pas seulement du moment présent.

— Je ne le peux pas.

Elle lui agrippa brusquement le bras, dans un geste aussi désespéré qu'inattendu.

— S'il vous plaît…

Il devinait combien cette supplique devait lui coûter.

— C'est impossible, milady, répliqua-t-il, s'obligeant à masquer son trouble.

— Non, ça ne l'est pas, insista-t-elle, et il pouvait sentir la pression de ses doigts à travers sa cotte de mailles. Vous n'aurez qu'à prétendre que vous ne m'avez pas retrouvée. Qu'on a perdu ma trace. Que j'ai disparu dans la nature. Peut-être suis-je toujours en Écosse. Peut-être suis-je morte… Personne ne sait. De toute façon, cela n'a aucune importance.

— Là, vous vous trompez, milady. Vous me manqueriez beaucoup, répondit Roland, décidément frappé par sa beauté.

— Essayez donc de comprendre ! Le roi ne serait pas fâché contre vous. Vous auriez fait de votre mieux. Personne ne pourrait vous rendre responsable de ma disparition. Et les poursuites s'arrêteraient là. Henry a déjà confisqué ma maison, ma fortune, et les ossements de mes ancêtres. Il ne me reste rien. Alors, quelle importance qu'on me croie morte ?

— Vous faites fausse route, lady Kyla.

— Non, je vous assure que non. Plus rien ne compte que ma liberté. Et quel risque prendriez-vous à me laisser m'échapper ?

— C'est impossible, répéta Roland, qui ne voyait pas comment l'aider à modifier le cours de son destin.

— Dites plutôt que vous ne voulez pas, répliqua-t-elle, lâchant son bras.

Elle détourna la tête, regardant à travers le brouillard quelque chose d'invisible. Roland était à l'agonie de la voir ainsi souffrir, et sa réaction le surprenait. Que lui arrivait-il donc ?

Ses longs cils étaient mouillés, et pendant quelques instants, il crut qu'elle pleurait. Puis elle reporta son regard sur lui, et il n'y lut que de la colère.

— Si je comprends bien, vous n'hésiteriez pas à me condamner à mort ? Uniquement par orgueil ?

— À mort? répéta-t-il. Personne ne vous condamnera à mort, lady Kyla. Soyez donc raisonnable. Henry désire vous parler, rien de plus. Il souhaite simplement entendre votre version des faits.

— Et quand il la connaîtra, que croyez-vous qu'il fera, lord Strathmore? lui opposa-t-elle. Pensez-vous vraiment qu'il me laissera repartir en me disant joyeusement au revoir?

Sans attendre sa réponse, elle ajouta :

— Non, il faudra bien qu'il tranche sur mon sort. J'ai conscience d'être très embarrassante pour la Couronne.

La lucidité de son analyse n'appelait pas d'autre commentaire. Elle avait raison, bien sûr. Pour autant, cela ne changeait rien à la position de Roland.

Elle replia ses genoux sous son menton et afficha un air pensif.

— Comment avez-vous su où je me cachais?

— À l'auberge, ou dans l'arbre?

— Dans l'arbre.

— Ce fut un coup de chance.

— Et à l'auberge?

— Un autre coup de chance.

Un sourire amer ourla ses lèvres.

— Vous devez être né sous une bonne étoile, lord Strathmore.

Une fois encore, Roland ne sut quoi répondre. Elle avait si bien souligné le contraste entre leurs deux existences qu'il ne trouvait pas de mots pour l'atténuer. Et il commençait à trouver vexant qu'elle réussisse si bien à le contrer.

Mais était-il vraiment né sous une bonne étoile? Il se promit d'y réfléchir plus tard. Quand ils seraient rentrés à Londres.

Il se releva et lui prit le bras pour la forcer à l'imiter.

— Venez, dit-il.

Il siffla. Son cheval surgit comme par enchantement du brouillard.

Roland aida la jeune femme à monter en selle, avant de s'installer derrière elle, enroulant par sécurité un bras autour de sa taille.

— Mes hommes ont dû capturer votre monture. Nous les retrouverons sur la route.

Kyla ne répondit rien.

Le brouillard ne s'était toujours pas levé, et la nuit approchait déjà. Roland fit dresser les tentes et lady Kyla fut enfermée dans la sienne, sous bonne garde.

Une partie des soldats tempêtaient après la jeune femme, l'accusant de leur avoir fait perdre de précieuses heures. Duncan, le capitaine de Roland, avait beau leur répéter que de toute façon le brouillard aurait ralenti leur progression, ils ne décoléraient pas.

Les hommes de Roland ne songeaient pas à protester : ils étaient habitués à vivre à la dure, et savaient parer à toutes les mésaventures. En revanche, le contingent dépêché par Henry se conduisait comme des enfants gâtés. C'étaient eux qui enrageaient. Roland, cependant, ne s'inquiétait pas trop : officiellement, les hommes du roi étaient sous son autorité jusqu'à la fin de cette mission. Ils n'oseraient donc pas se rebeller ouvertement. Quoi qu'ils puissent dire, ils continueraient d'obéir, et c'était l'essentiel.

Tout le monde était épuisé par cette longue chevauchée, et impatient de rentrer à Londres. Pour

Roland, après Londres, il y aurait Lorlreau. Enfin Lorlreau ! Personne n'était sans doute plus pressé que lui de regagner sa maison.

Les soldats s'étaient rassemblés par petits groupes autour des feux de camp. Duncan passait de l'un à l'autre pour leur prodiguer des paroles de réconfort. Roland aurait pu également s'ingénier à les calmer, mais il préférait laisser Duncan s'en charger : les hommes le respectaient.

Pour sa part, Roland jugea plus utile de dîner avec la cause de toute cette discorde. Pour s'assurer qu'elle avait récupéré après son aventure, voulut-il se persuader. Après tout, sa mission n'était-elle pas de la conduire saine et sauve devant Henry ? Ce désir de partager le dîner de la jeune femme n'avait donc rien à voir avec le souvenir entêtant de leurs baisers passionnés…

Il pénétra dans la tente sans se faire annoncer, se contentant de saluer d'un geste les soldats qui montaient la garde.

La jeune femme était assise en tailleur sur des fourrures, contemplant d'un air absent l'assiette de faisan rôti posée devant elle. Elle n'y avait pas touché. Et elle ne leva même pas les yeux sur Roland.

Il s'assit face à elle.

— La nourriture n'est pas à votre goût ?

Elle sembla ne pas vouloir lui répondre, puis finalement soupira.

— Je suis sûre que c'est bon.

— Alors, pourquoi n'avez-vous rien mangé ?

— Je n'ai pas faim.

— Ce n'est pas très gentil de votre part.

La remarque éveilla sa curiosité.

— Gentil ? répéta-t-elle, étonnée.

— Mes meilleurs chasseurs se sont donné beaucoup de mal pour vous rapporter un faisan. Et pas n'importe lequel ! Je leur avais réclamé un bel oiseau. Le roi des faisans de ces contrées. Ils l'ont débusqué après bien des efforts. Et vous, vous ne daignez même pas en manger un morceau. Quelle ingratitude !

Elle le dévisageait, comme si elle se demandait s'il était sérieux ou s'il plaisantait. Roland attira l'assiette à lui et goûta un morceau. C'était sec, fade et trop grillé sur un côté. Il sourit.

— Le roi des faisans, à coup sûr.

— Vous avez un étrange sens de l'humour, commenta-t-elle, plongeant les mains sous les fourrures qui recouvraient ses jambes.

Roland afficha un air offensé.

— Je ne crois pas que le roi des faisans trouverait la situation humoristique.

Elle fronça légèrement les sourcils, et Roland se surprit à vouloir la charmer. Il se creusa l'esprit, à la recherche de ce qu'il pourrait dire pour ramener la paix entre eux, mais elle le devança :

— Pourquoi vous appelle-t-on « l'Âme damnée de Henry », milord ?

— Vous ne savez donc pas ? ironisa-t-il.

En vérité, il n'avait aucune envie que la conversation s'engage dans cette voie.

— Oh, j'ai entendu différentes explications, bien sûr. Mais rien de satisfaisant.

Roland repoussa le plat vers elle.

— Mangez, et je vous le dirai peut-être.

— Peut-être ?

— Mangez d'abord, lui ordonna-t-il.

Et, à sa grande surprise, elle découpa un morceau, qu'elle porta à sa bouche. Roland regarda ses lèvres se refermer dessus.

— Eh bien ? insista-t-elle quand elle eut avalé.

— Pour tout vous avouer… commença-t-il.

Elle avait pris une autre bouchée, et Roland était distrait par le mouvement de ses lèvres, si délicieusement…

— Pour tout m'avouer ?

— Euh… je ne sais pas trop. C'est Henry lui-même qui m'a donné ce surnom.

Elle sursauta imperceptiblement à cette réponse. Et son regard s'assombrit.

— Ainsi… (Elle prit encore une bouchée.) vous êtes son chien fidèle.

Il sourit franchement, pour montrer qu'elle ne l'avait pas insulté.

— C'est ce que certains prétendent, en effet.

— Un chien de compagnie ?

Ses yeux brillaient, à présent. Et le faisan disparaissait à grande allure.

— Non. Un chien de chasse.

— Vous chassez les innocents.

— Je sers mon souverain.

— Vous n'avez pas de volonté autonome. Juste un maître.

— Vous avez la langue bien pendue, milady. Mais vous vous trompez sur ce point. Je suis mon propre maître. Si j'ai choisi de servir, c'est parce que cela m'apporte ce que je désirais.

Elle s'arrêta de manger.

— C'est-à-dire ?

Il hésitait à s'ouvrir aussi sincèrement. D'autant qu'elle avait une mauvaise opinion de lui et qu'elle pourrait le rembarrer d'un mot blessant.

— Cela ne vous regarde pas, lady Kyla.

Elle finit son assiette, se lécha les doigts, sans cesser de le regarder, puis elle s'étira.

— Vous avez réussi à me faire manger, dit-elle. Vous pouvez être satisfait.

— Demain, si vous êtes sage, vous aurez la reine des faisans.

— Vous avez raison, répliqua-t-elle en contemplant ses doigts de pied, qui dépassaient de sous les fourrures. Elle sera mieux dans mon assiette qu'à passer le restant de sa vie esseulée, n'est-ce pas ?

Rien de ce qu'elle avait pu dire jusqu'ici n'ébranla autant Roland. Il avait deviné qu'elle parlait d'elle.

Il ramassa l'assiette vide et se releva.

— Dormez bien, lady Kyla. Demain, une rude journée nous attend.

Il sortit sans un regard en arrière.

La suite du voyage fut plus rapide. Dès qu'ils sortirent des Highlands, le brouillard disparut tout à fait et ne revint plus.

Chaque fois qu'elle traversait un village, la petite troupe attirait les badauds en masse. Et c'était sur Kyla que tous les regards convergeaient. Cette femme les intriguait : seule, tête nue, les cheveux flottant librement sur ses épaules, les mains entravées par une corde qui la reliait au pommeau de la selle de Roland et se balançait entre leurs deux montures. Ce dernier détestait la voir ainsi prisonnière, mais il avait pris cette précaution après son évasion avortée pour la dissuader de recommencer. Il la devinait capable de pouvoir galoper très vite sur son étalon.

Aussi, tout naturellement, les badauds posaient des questions à son sujet. S'agissait-il d'une criminelle ? d'une princesse félonne ? Quelle femme était-ce donc pour qu'il soit nécessaire de l'enchaîner au milieu de tous ces soldats ?

Kyla les ignorait superbement. Sans doute se moquait-elle de ce que pouvaient penser ces paysans. Du reste, Roland n'aurait pas permis qu'ils l'importunent. Sur son ordre, les soldats les écartaient sans ménagement de leur chemin – après leur avoir toutefois assuré qu'ils n'avaient rien à craindre.

La jeune femme s'était à nouveau murée dans le silence. Elle n'avait plus prononcé un mot depuis leur conversation de l'autre soir, sous la tente. Et elle demeurait impassible, ne trahissant pas la moindre appréhension, alors qu'ils n'étaient pourtant plus très loin de la capitale. Son attitude était si glaciale qu'elle aurait découragé n'importe qui. Roland ne savait plus quoi faire à son sujet.

Les paysages qu'ils traversaient maintenant étaient de moins en moins sauvages, les villages se succédant, toujours plus nombreux.

Ils approchaient justement d'une nouvelle bourgade, que Roland n'identifia pas tout de suite. Mais il perçut la nervosité de la jeune femme. Ses joues, d'ordinaire si pâles, s'étaient légèrement colorées. Et, pour la première fois, elle avait renoncé à son port seigneurial pour baisser la tête.

Les habitants se précipitèrent bientôt à leur rencontre. Jusqu'ici, il n'y avait rien là que de très ordinaire. Mais à l'inverse des badauds des autres villages, ceux-ci pointaient du doigt la jeune femme en criant son nom. Et la foule ne cessait de grossir, hommes et femmes accourant des champs ou surgissant des bois environnants.

C'est alors que Roland repéra le manoir en pierre rose qui dominait le village. Il constata que

Kyla y jetait également un coup d'œil, avant de baisser à nouveau la tête.

Il comprit tout. Et il s'en voulut de l'avoir fait passer – même si ce n'était pas prémédité – par Rosemead, pour l'humilier devant toute la population. Pourquoi n'y avait-il pas pensé ? Pour sa défense, il n'était jamais venu dans ce village et ne s'était pas douté qu'il se trouverait sur leur route. Son capitaine paierait cette faute, se jura Roland.

Il allait ordonner qu'on presse l'allure quand une jeune fille, d'une quinzaine d'années environ, sortit de la foule et s'avança résolument vers les soldats, jusqu'à se retrouver près du cheval de lady Kyla.

— Milady, lui lança-t-elle, pressant un bouquet de marguerites dans les mains de la jeune femme. Nous sommes avec vous !

Les villageois lui firent écho.

Kyla ne semblait pas savoir comment réagir. Elle crispait les doigts sur les marguerites et regardait l'adolescente avec stupeur.

— Nous sommes de votre côté, répéta celle-ci, avant de se retirer pour laisser la procession avancer.

Roland était las. Et plus ils approchaient de Londres, plus il se sentait fatigué. Ce qu'il voyait de lady Kyla lui laissait penser qu'elle partageait sa lassitude. La jeune femme était déjà maigre à leur départ, mais en dépit des efforts de Roland pour bien la nourrir, elle avait encore maigri durant le voyage, et ses yeux brillaient davantage dans son visage creusé. Elle s'inquiétait pour son sort, et malheureusement il n'avait aucun moyen de la rassurer.

Traverser Rosemead n'avait bien sûr pas arrangé son moral. Et Roland avait le cœur déchiré de la voir étreindre, de temps à autre, les petites marguerites sauvages, comme si cela lui permettait d'affronter sa détresse.

Pour surmonter les mouvements de faiblesse que lui inspirait la jeune femme, Roland se concentrait sur Lorlreau. Il imaginait ses gens reprendre le travail des champs et aérer le château qui sortait des frimas d'hiver. Il pensait aussi à ses proches. Madoc, Seena, Harrick… et la petite Elysia. Avait-elle bien grandi ? Lui arriverait-elle déjà à la taille ?

Cependant, ces divagations ne l'empêchaient pas de revenir encore et toujours au baiser qu'il avait échangé avec Kyla dans le brouillard. Il se souvenait du violent désir qu'il avait ressenti à ce moment-là. Il se souvenait aussi que la jeune femme, ensuite, l'avait supplié de la laisser partir. Il avait refusé tout net, sans réfléchir. À présent, le doute s'insinuait en lui, et il s'interrogeait non seulement sur sa décision, mais plus encore sur ses motivations.

Car, après tout, quel mal y aurait-il eu à la laisser s'échapper comme elle le réclamait ? Roland connaissait, autant que Kyla, la méchanceté de la cour, et il savait qu'elle porterait jusqu'à la fin de ses jours les stigmates de ce qui était arrivé à sa famille. N'aurait-il pas été plus humain de l'autoriser à disparaître dans la nature ?

Mais non. Il avait eu raison d'agir ainsi. Cette femme était probablement quelque enchanteresse, qui avait le don de lui égarer l'esprit. Sa mission était de la capturer, et il avait été bien inspiré de s'y tenir, pour la livrer comme prévu à Henry. Ce n'était pas seulement sa mission, du reste : c'était aussi la meilleure chose à faire. Il ne souhaitait à personne, pas même à son pire ennemi, de mourir en pleine forêt dans le froid et la faim. Or, Kyla n'était pas son ennemie, quoi qu'elle pût penser à ce sujet.

S'il l'avait relâchée, elle n'aurait pas survécu longtemps, seule dans la nature. Il en était convaincu. Et cette perspective lui était insupportable.

Cette jeune femme éthérée, au caractère bien trempé, avait de toute évidence besoin d'être protégée. Mais qui se porterait candidat ?

Deux jours après leur traversée de Rosemead, ils franchirent une colline herbue et tout à coup s'ouvrit devant eux un large paysage qui révélait les faubourgs de la capitale et leur agitation habituelle. Les soldats se ragaillardirent.

Kyla ne disait toujours rien, mais Roland put voir qu'elle serrait un peu plus fort ses rênes. Au bout d'un moment, elle lâcha cependant, les yeux baissés :

— J'ai entendu dire que la Tour de Londres était très sombre.

Roland fronça les sourcils. Ses paroles contenaient-elles un message caché ?

— Certains endroits, oui, répondit-il prudemment.

Il y eut un long silence, et il cherchait désespérément quelque chose à ajouter lorsqu'elle murmura, si bas qu'il dut tendre l'oreille :

— Je n'aime pas le noir.

Et avant qu'il ait pu répondre, elle enchaîna :

— Je sais que vous ne me devez rien, lord Strathmore, mais je voudrais vous demander une faveur. Je vous la demande au nom de mon père. C'était quelqu'un de bien, et il parlait toujours de vous en termes chaleureux.

Roland attendit la suite.

— Je souhaiterais que vous preniez soin de Zéphyr quand je… quand j'en serai empêchée, reprit-elle sans croiser son regard. J'ai vu que vous lui manifestiez un certain intérêt. Le ferez-vous ?

— Vous verrez que ce ne sera pas nécessaire.

— Le ferez-vous ? insista-t-elle.

— Il n'y aura pas lieu de…

— Vous ne me répondez pas.

Roland soupira.

— Lady Kyla, je ne peux pas…

— Pardonnez-moi, le coupa-t-elle d'un ton dédaigneux. Je n'avais pas réalisé l'ampleur du fardeau que je voulais vous imposer. C'était idiot de ma part. Oubliez donc ma requête.

— Bon sang, Kyla ! explosa Roland, incapable de se contenir davantage. Vous prenez facilement la mouche, mais pour vous raisonner, c'est autre chose ! Écoutez-moi attentivement. Je vous promets que vous n'aurez pas à vous inquiéter pour votre cheval, car vous n'irez pas en prison. M'avez-vous compris ? Vous resterez une femme libre, avant et après votre audience avec le roi. On n'emprisonne que les criminels, et vous n'en êtes pas une.

— Je n'aime pas le noir, crut-il l'entendre répéter.

Mais, cette fois, si doucement qu'il se demanda s'il n'avait pas rêvé.

6

Malgré le feu qui brûlait dans la cheminée, la température de la chambre d'audience privée du roi était glaciale. Et l'air était alourdi par un mélange d'odeurs fortes : la cire d'abeille utilisée pour polir le mobilier, et la caille rôtie servie au dîner du roi, dont les restes gelaient dans un plat doré.

Henry n'avait pas pris la peine de se lever de son fauteuil sculpté lorsqu'elle était entrée. Il ne lui avait pas non plus serré la main, la gardant quelques secondes dans la sienne, comme autrefois. Il ne l'avait pas même gratifiée d'un sourire.

Kyla avait fait de son mieux pour se montrer sous son meilleur jour. Mais elle portait toujours sur elle la robe donnée par l'aubergiste, et elle avait eu beau la nettoyer, on voyait bien que c'était un vêtement de pauvre. Certainement pas le genre de toilette qu'il était recommandé d'arborer pour être présentée au roi d'Angleterre.

Malheureusement, elle n'avait rien d'autre à se mettre – et personne n'avait eu la bonté de lui prêter une robe. Kyla, cependant, soutenait le regard de Henry sans ciller. Roland se tenait juste à côté d'elle.

— Ainsi, vous avez réussi, Strathmore…

Regroupés aux quatre coins de la pièce, les principaux courtisans – les conseillers du roi, ses ministres, les nobles de plus haut lignage – observaient la scène. Ils étaient tous richement vêtus, et leurs costumes brillaient des pierreries qui y étaient incrustées.

Kyla s'approcha de la cheminée, dans l'espoir que la chaleur des bûches combattrait le frisson qui la glaçait jusqu'aux os. Henry et Roland la suivirent des yeux, mais elle préféra rester silencieuse, bien décidée à en dire le moins possible.

Cela avait déjà été assez pénible de devoir faire la révérence à Henry. Mais, consciente qu'elle ne pouvait pas ne pas le saluer, elle avait opté pour un compromis, s'inclinant moins bas que ne l'exigeait l'étiquette. Le roi s'en était-il seulement aperçu ?

À présent, elle gardait le regard obstinément baissé. De peur que Henry ne lise dans ses yeux les sentiments qui se bousculaient dans son esprit. Du dédain. De l'humiliation. De la colère.

Du coin de l'œil, elle pouvait apercevoir le pied gauche du monarque, chaussé de velours et d'hermine, reposer sur le sol de marbre.

Le plancher de la chambre qu'on lui avait assignée n'était pas du tout en marbre, mais taillé dans la même pierre grisâtre que celui de la cellule qu'elle avait visitée quelques années plus tôt. Les dalles, devant la minuscule fenêtre, étaient creusées en leur milieu par l'usure, signe que les différents occupants de la pièce avaient inlassablement fait les cent pas pour tromper le temps.

Il y avait un lit – ou plutôt une paillasse – qui permettait de dormir au-dessus du sol. Heureusement, car les rats couraient partout. Et une odeur de désespoir flottait dans l'air.

Kyla ne se voyait pas passer la nuit dans un endroit pareil. Elle deviendrait vite folle.

Leur arrivée à la Tour, signalée à grands coups de trompes, avait suscité la curiosité et les cris de tout l'entourage royal. Kyla avait compris qu'elle ne pourrait espérer aucune discrétion. Face au tumulte, elle avait donc arboré cet air de suprême indifférence auquel elle avait déjà recouru durant le voyage. Mais c'était plus difficile ici, car le palais lui était familier. Elle connaissait la plupart de ces gens au moins de vue.

Roland lui avait tenu le bras, doucement mais fermement, la guidant vers l'escalier dont elle avait souvent gravi, jeune fille, les marches en courant, tant elle était excitée de venir au palais. Kyla lui avait été reconnaissante de ce soutien – que Roland fût ou non son ennemi. C'était un geste d'humanité, particulièrement bienvenu en ce moment de chaos.

Une partie de la foule les avait suivis à l'intérieur, dans le vaste hall aux dimensions imposantes.

Un garde en livrée brodée s'était porté à leur rencontre et, après un salut respectueux, il avait demandé à Kyla de le suivre.

La jeune femme avait senti que Roland lui serrait un peu plus fort le bras. Il avait semblé vouloir dire quelque chose, mais se ravisant finalement, il avait lâché son bras et reculé d'un pas.

Le garde attendait.

Kyla avait jeté un regard à Roland, qui lui avait souri. Mais elle n'avait pas su interpréter ce sourire. Soyez courageuse ? Allez au diable ?

Elle s'était décidée à suivre le garde, sans plus regarder derrière elle. Elle avait entendu Roland parler avec quelques-uns des courtisans, mais déjà elle s'enfonçait dans les entrailles de la forteresse, se demandant si elle reverrait jamais la lumière du jour.

Elle ne la voyait toujours pas, pour l'instant, mais c'était parce que la nuit était tombée, obstruant de noir les fenêtres de la chambre d'audience.

À sa grande surprise, elle avait été convoquée par le souverain quelques heures seulement après son arrivée. Et à sa plus grande surprise encore – mais aussi à son immense soulagement –, elle avait retrouvé Roland qui l'attendait sur place. Lorsqu'elle était entrée, il lui avait encore souri. Mais son sourire était aussi énigmatique que tout à l'heure.

— Cela nous chagrine fort, déclara soudain Henry, usant du pluriel de majesté, de vous voir si misérablement habillée, lady Kyla.

Il lui parlait de sa robe ! Kyla était stupéfaite. De toutes les choses qu'elle s'était préparée à entendre de la bouche du roi, pas un instant elle n'aurait imaginé qu'il commencerait par s'inquiéter de sa toilette. C'était bien le moment de parler chiffon ! Quand le monde de Kyla s'était écroulé à la suite d'une succession d'événements dramatiques – meurtres, intrigues, trahisons...

La jeune femme, cependant, s'obligea à garder la tête froide.

— Je suis désolée, Votre Majesté, de vous attrister, dit-elle du ton le plus détaché possible.

— Strathmore, ordonna le roi, faites-moi votre rapport.

Roland raconta sa longue traque jusqu'en Écosse, puis comment il avait rebroussé chemin vers l'Angleterre, la capture de Kyla près de la frontière, et enfin le retour à Londres. Son récit était factuel, et Kyla avait l'impression d'entendre conter une histoire qui lui serait étrangère – alors qu'il s'agissait pourtant d'un chapitre, et non des moindres, de sa propre existence.

Son regard, du coup, errait dans la pièce – mais c'est vrai qu'il y avait tant à regarder ! Le mobilier et la décoration étaient dignes d'un roi : luxueuses tapisseries, coffres en bois sculpté ornés de pierreries, lourdes tentures de brocart...

Kyla réalisa que le silence était revenu. Roland avait manifestement terminé son récit. Elle se tourna vers le roi, qui l'observait d'un air pensif en se frottant le menton. Son pied gauche tapotait le sol de marbre, dans un rythme impatient et cependant silencieux.

— À présent, lady Kyla, donnez-nous votre version des faits.

Il était impossible d'ignorer une injonction royale.

— Mon père n'a pas assassiné ma mère, Sire, commença-t-elle.

Ces paroles provoquèrent aussitôt des commentaires à voix basse dans l'assistance. Henry leva nonchalamment la main pour les faire cesser. Puis il fit signe à Kyla de continuer.

— Il l'aimait. Il ne lui aurait jamais fait aucun mal. Il est mort en murmurant son nom. Je suis convaincue qu'il n'a pas pu la tuer.

Elle s'obligeait à regarder le souverain, rivant les yeux sur ses cheveux noirs ou son pourpoint de velours brodé d'or. Roland était toujours là, derrière elle. Elle percevait sa puissante présence.

— C'est moi qui l'ai convaincu de partir. Je lui ai fait comprendre le danger qu'il y avait de rester. C'est moi qui ai tout organisé.

Elle attendit, mais personne ne chercha à l'interrompre. Personne, non plus, n'exprima son incrédulité. Henry paraissait plus songeur que jamais.

— Après la découverte... du cadavre de ma mère, reprit Kyla, c'était comme si la vie l'avait lui aussi abandonné. Il ne dormait plus, ne mangeait plus, ne buvait plus. Il restait assis des heures dans sa chambre, à pleurer.

Ce souvenir était si douloureux qu'elle marqua une pause. Roland lui prit le bras, mais elle se libéra.

— Je savais ce qu'on colportait dans son dos, Sire. Je savais ce que les gens pensaient. Mais lui-même n'avait plus conscience de rien. C'était à moi de le sauver.

— Alors, vous avez organisé sa fuite, conclut Henry, qui regardait maintenant le feu.

— Je ne pouvais le laisser courir à sa perte pour un crime qu'il n'avait pas commis.

— Et pourtant, il est quand même mort, fit Henry.

— Oui... murmura Kyla.

Le roi demeura silencieux, contemplant les bûches qui crépitaient dans l'âtre. Et Kyla avait l'impression que les courtisans regroupés dans les coins de la pièce s'étaient figés. Seul Roland, toujours près d'elle, lui paraissait bien réel. Elle ne se serait jamais doutée qu'elle pourrait un jour se féliciter de sa présence.

— Racontez-moi comment il est mort, demanda soudain Henry.

— Il a été emporté par une mauvaise fièvre, Majesté. Le décès de ma mère l'avait considérablement affaibli. Et il n'a jamais vraiment recouvré la santé. Il est mort avant que nous n'arrivions en Écosse. La température était devenue glaciale et il nous donnait ses couvertures, à mon frère et à moi, pour dormir.

Elle préférait ne pas repenser à cela, car sinon elle risquait de s'effondrer devant tous ces gens. Or, elle ne voulait surtout pas leur donner cette satisfaction. Elle n'avait pas pleuré au moment de la mort de son père – faute de temps. Elle n'allait certainement pas pleurer aujourd'hui.

— Avec mon frère, nous avons continué jusqu'à Glencarson, enchaîna-t-elle. Mon père souhaitait que nous trouvions refuge auprès du frère de notre mère.

— MacAlister, fit le roi, qui fixait toujours le feu.

— Il nous a hébergés.

Kyla ne souhaitait pas évoquer le reste – c'était trop pénible. Mais, avec le recul, elle comprenait que rien de ce qu'elle aurait pu dire, ou faire, n'aurait convaincu Malcolm de changer d'avis. Il avait jeté son destin dans la bataille, sans se soucier des innocents qu'il entraînait avec lui.

« Si Dieu le veut, qu'il en soit ainsi », avait-il lancé.

Et probablement Dieu l'avait-Il voulu.

Mais Kyla ne se voyait pas raconter devant le roi, et encore moins devant ses courtisans, cette journée atroce qu'elle avait dû passer enfermée dans sa chambre, tandis que Malcolm prenait Alister avec lui.

Elle avait pleuré, crié, imploré à travers la porte jusqu'à n'avoir plus de voix, mais elle n'avait récolté que le silence, car ils étaient tous partis au combat.

De sa prison, elle avait perçu les échos de la bataille et n'avait rien pu faire pour empêcher ce massacre inutile.

Puis les bruits avaient cessé.

Et c'est alors qu'avait débuté l'incendie.

Kyla avait voulu renoncer. S'étendre sur son lit et se laisser asphyxier par la fumée âcre qui s'infiltrait déjà sous la porte.

Mais son corps avait refusé de capituler. Et il avait réagi en l'incitant à s'emparer d'une couverture, avec laquelle elle avait emmailloté son poing avant de briser la vitre de la fenêtre de sa chambre.

Puis elle avait enjambé l'appui, et elle était tombée dans l'herbe.

Le feu était déjà partout. Sa robe avait même accroché quelques flammèches durant sa chute, qu'elle s'était empressée d'éteindre. Le château était perdu et de toute façon personne n'était là pour combattre l'incendie. Elle avait voulu courir vers le champ de bataille, mais un Écossais l'avait retenue de force : les Anglais ne s'étaient pas totalement retirés, lui avait-il expliqué, il était préférable de rester à l'abri. Il l'avait obligée à se cacher, avec les rares survivants.

Ils avaient attendu le soir pour s'assurer que les troupes anglaises, satisfaites de leur œuvre, étaient reparties. Alors, ils s'étaient rendus sur le champ de bataille.

Hantée par ces images, Kyla se sentit tout à coup le cœur et l'esprit totalement vides. Elle regardait, sans vraiment le voir, le roi assis face à elle. C'était pourtant cet homme qui détenait son destin entre ses mains.

Les courtisans semblaient attendre impatiemment son verdict. Quant à Roland...

Kyla se souvenait de leur baiser échangé dans la forêt. Elle se souvenait aussi de la façon dont il avait détourné le regard, quand il lui avait répondu qu'il se refusait à la laisser s'enfuir.

Ne regrettait-il pas, aujourd'hui, sa décision ? Elle pivota vers lui et constata qu'il l'observait. Leurs regards s'accrochèrent avec force, comme si un magnétisme étrange les rivait l'un à l'autre.

— Cette affaire n'est pas anodine, déclara le roi, rompant le silence. Nous y réfléchirons à tête reposée, et nous vous rappellerons ultérieurement auprès de nous. Qu'on la ramène dans ses quartiers, conclut-il à l'intention des gardes alors qu'il se levait déjà de son fauteuil.

Roland vit le visage de Kyla devenir gris comme cendre.

Je vous promets que vous resterez une femme libre...

— Sire, intervint-il, prenant délibérément la main de la jeune femme dans la sienne. Permettez-moi d'ajouter un mot.

Henry l'avait regardé prendre la main de Kyla avec une stupéfaction visible. Il se rassit.

Kyla aurait voulu s'enfuir pour se cacher. Mais Roland lui tenait fermement la main.

— Je réclame votre indulgence, Majesté, mais dans la précipitation de notre arrivée, je crains d'avoir oublié de préciser que lady Kyla m'a fait l'honneur de m'épouser.

Le choc de cette déclaration se réverbéra dans toute la pièce, provoquant un brouhaha que même Henry ne put faire taire tout de suite. Au bout d'un moment, cependant, agitant la main, il réussit à ramener le silence.

— Je vous implore humblement, poursuivit Roland sans quitter le regard du souverain, de ne pas me séparer de ma jeune épouse.

Henry esquissa un sourire.

— Je vois, dit-il.

Kyla était stupéfaite.

Roland porta sa main à ses lèvres, lui décochant au passage un regard destiné à lui faire garder le silence.

Puis il reporta son attention sur le roi. Il était parfaitement conscient que son plan échafaudé dans l'urgence pouvait s'écrouler. Henry pouvait lui ordonner de rejoindre le donjon avec Kyla, au lieu de les laisser partir. Dans ce cas, ils se retrouveraient tous deux prisonniers.

— Je lui ai promis, Sire, de lui montrer les beautés de Lorlreau dès que ce serait possible, reprit-il. Lady Kyla a passé un rude hiver. Elle a grand besoin de repos dans un endroit tranquille.

Et, réalisant que rester des semaines ou des mois confinée dans une cellule de la Tour pourrait s'avérer également très reposant, il s'empressa de préciser :

— Le bon air de Lorlreau lui fera le plus grand bien.

Le sourire de Henry s'était évanoui lorsque Roland avait mentionné Lorlreau, et il le dévisageait maintenant d'un air suspicieux. De toute évidence, cette annonce n'était pas pour ravir le monarque. Roland décida d'argumenter.

— Mes hommes sont épuisés, dit-il. Ils sont impatients de rentrer à Lorlreau pour retrouver leur famille.

Henry ne pouvait pas ne pas avoir compris la subtile implication que contenaient ces paroles. Les deux hommes se connaissaient depuis trop longtemps pour ignorer les messages contenus en filigrane dans certaines phrases d'apparence banale. Henry savait donc ce qu'avait voulu lui dire Roland, mais que celui-ci n'aurait certainement pas formulé à haute voix.

Roland pouvait en effet s'appuyer sur une troupe bien entraînée, qui lui était entièrement dévouée. La loyauté de ses hommes à son égard était aussi légendaire que la loyauté de Roland envers son souverain. Il n'avait pas été surnommé pour rien son «Âme damnée»…

Henry n'ignorait donc pas qu'il perdrait beaucoup s'il perdait la confiance de Roland – et donc de ses hommes.

Cependant, Roland avait conscience de jouer gros en cet instant. Si Henry jugeait qu'il avait dépassé les bornes, il risquait de tout perdre : ses terres, ses gens, et même sa vie.

Mais Roland tenait la main délicate de Kyla dans la sienne, et la jeune femme s'agrippait à lui comme s'il était son dernier espoir. Il l'était, du reste, et son désir de lui venir en aide avait balayé toute autre considération. C'était la première fois de sa vie qu'il ressentait quelque chose d'aussi fort pour quelqu'un.

Elle le regardait à présent, les yeux plissés, comme si elle cherchait à évaluer les risques qu'il prenait.

— Ainsi, vous l'avez épousée… murmura Henry, secouant légèrement la tête pour ne plus avoir à croiser le regard de Roland.

Ce dernier comprit qu'il avait gagné. Il avait déjà vu Henry secouer ainsi la tête – quoique très rarement – et cela voulait dire que le roi reconnaissait s'être fourvoyé dans une impasse.

— Oui, Sire, confirma Roland, s'obligeant à rester calme malgré le soulagement qui le submergeait.

— Je suppose que nous ne pouvons pas faire de vous un menteur, Strathmore, en vous empêchant d'honorer votre parole auprès de lady Kyla, reprit Henry.

Les doigts de la jeune femme tremblèrent imperceptiblement dans la main de Roland.

— En ce cas, poursuivit le roi, lady Kyla est libre, et vous êtes tous les deux autorisés à vous rendre à Lorlreau. Mais à une condition : nous serons susceptible de vous rappeler à tout moment, quel que soit le bon air de Lorlreau.

Roland sourit.

— Vous avez pu vous-même l'apprécier lors de votre dernière visite, Sire.

— En effet, admit Henry. Mais faites en sorte d'être là quand j'aurai besoin de vous, Strathmore.

— Vous pouvez compter sur moi, Majesté. Comme toujours.

— Parfait. Eh bien, bon voyage à vous deux.

Le roi se releva. Roland s'inclina respectueusement et invita Kyla à l'imiter, avant de l'entraîner vers la porte.

— Strathmore ! rappela Henry comme s'il avait oublié quelque chose.

Roland se retourna, et glissa un bras sur les épaules de Kyla.

— Achetez à votre épouse des toilettes convenables. Je ne veux plus la revoir dans des haillons.

Roland s'inclina encore, avec le sourire, et cette fois il n'eut pas besoin de faire comprendre à Kyla de faire de même.

Puis ils franchirent la porte et passèrent dans l'antichambre royale.

7

Kyla n'arrivait pas à y croire. Elle n'en revenait pas de l'aisance avec laquelle lord Strathmore avait menti au roi. Le plus fort, c'est qu'il avait su se montrer convaincant sans jamais se départir de son sourire.

Et Henry l'avait cru ! Grâce à lui, Kyla échappait à la prison !

La jeune femme se retenait de libérer sa main, toujours accrochée à celle de lord Strathmore, pour sauter de joie. Pareille manifestation d'enthousiasme serait malvenue dans le palais royal. Et puis, ils n'étaient pas encore totalement tirés d'affaire. La foule des courtisans accourait maintenant à leur rencontre. Kyla aurait voulu leur fausser compagnie et se ruer hors du palais.

— Nous n'avons pas beaucoup de temps, lui chuchota Roland.

— Comment cela ? s'étonna Kyla.

Il lui semblait, au contraire, pouvoir disposer de tout son temps. Grâce à lui, bien sûr.

— Si Henry découvre la supercherie, il nous punira tous les deux.

Kyla sentit sa joie retomber d'un coup. Un nouveau piège s'ouvrait brutalement sous ses pieds. Et les courtisans se rapprochaient, avec leurs sourires hypocrites et leur curiosité malsaine.

Lord Strathmore accrocha son regard avec insistance.

— Acceptez-vous d'être ma femme, lady Kyla ? Acceptez-vous de prononcer vos vœux nuptiaux ?

Kyla en resta médusée. Le décor de l'antichambre se mit à tournoyer devant ses yeux et ses jambes menacèrent de se dérober sous elle. Roland la prit fermement par le bras, l'entraînant vers la sortie dans l'espoir d'échapper aux courtisans.

— Dites oui tout de suite, Kyla, sinon nous sommes perdus.

— Je... je... bégaya la jeune femme, au comble du désarroi.

Plaisantait-il, ou était-il sérieux ? Son mensonge s'était-il brutalement transformé en vérité ?

La prison. Pour elle, comme pour lui. Il était pourtant son ennemi, et cependant il avait couru le risque d'exposer sa liberté pour la sauver. Maintenant, ils étaient tous deux pris au piège.

Il avait suffi de quelques mots prononcés devant le roi... Elle avait pensé que Henry croirait à une plaisanterie, et qu'il éclaterait de rire – avant d'ordonner qu'on la renvoie dans sa cellule. Mais non. Roland avait bien jugé son souverain. Henry avait accepté sans ciller cette idée de mariage secret, et il avait renoncé à poursuivre Kyla.

Maintenant, il n'était plus question que la supercherie soit éventée. Sinon, les conséquences seraient inimaginables.

Kyla faillit de nouveau défaillir, mais Roland la soutint une fois de plus. Les portes étaient encore loin.

Ils étaient bel et bien pris au piège qu'il avait lui-même orchestré. Si elle ne l'épousait pas, si Henry découvrait que…

— Strathmore ! héla un courtisan.

— Milord ! appela un autre.

Ils étaient plusieurs à converger de toutes parts dans leur direction, leur bloquant la sortie.

— Dites-le, la pressa Roland, lui serrant un peu plus fort le bras. Dites que vous acceptez.

Une femme se dirigeait droit sur eux. Elle rayonnait dans une robe écarlate brodée d'or. Des voiles de gaze ornant sa coiffe pointue se soulevaient au rythme de ses pas. Elle regardait Kyla.

— Je vous accepte pour époux, lord Strathmore, murmura Kyla.

Roland lui sourit. Un soulagement immense était perceptible dans ses yeux.

— Et moi, je vous accepte pour épouse, chuchota-t-il, afin de n'être entendu que d'elle seule.

Les courtisans arrivaient à leur hauteur.

— Ma chère amie ! s'exclama la femme en rouge, étreignant la main de Kyla.

— Strathmore ! fit un homme, claquant chaleureusement l'épaule de Roland.

Ils furent bientôt entourés d'une petite foule qui les félicitait bruyamment. Les femmes, cependant, détaillaient sans vergogne la robe de Kyla – que pouvaient-elles bien penser, de la voir aussi misérablement affublée ?

— Vous souvenez-vous de moi, Kyla ? demanda la femme en rouge.

Kyla la reconnut enfin. C'était une ancienne amie de sa mère.

— Lady Élisabeth ! Bien sûr que je m'en souviens, répondit Kyla, surprise de son ton presque naturel.

Elle était pourtant de plus en plus mal à l'aise devant ces regards avides. Personne ne se gênait pour la détailler de la tête aux pieds. C'était encore plus insupportable que ce qu'elle avait dû endurer avec les soldats. Ces gens auraient dû montrer plus de déférence, sinon de discrétion. Après tout, en tant que fille de noble, elle était des leurs.

Mais bien sûr, réalisa-t-elle, ils ne la considéraient plus comme telle. Et ce n'était pas seulement à cause de la robe très commune qu'elle portait aujourd'hui. Dès l'instant où le cadavre de sa mère avait été découvert dans le lit de Gloushire, sa famille avait été disgraciée. S'il était permis de se livrer à tous les péchés en privé, un scandale public était autrement plus grave.

— Bravo, Strathmore ! fit l'un des hommes sur un ton égrillard. Vous avez emporté un morceau de choix. La fille Rosemead était ce qui restait de mieux dans la famille.

Quelques femmes firent semblant d'être choquées, mais plusieurs plaisanteries équivoques fusèrent de la bouche d'autres courtisans. Roland y coupa court :

— Je vous suggérerais, messieurs, de faire attention à ce que vous dites au sujet de ma femme.

Il y eut un silence. Roland en profita pour caresser la nuque de Kyla, d'un geste délibérément sensuel.

La jeune femme sentit ses joues s'empourprer.

Lady Élisabeth reprit la première ses esprits.

— Félicitations, ma chère, dit-elle à Kyla, l'embrassant sur la joue. Votre mère serait fière de vous.

Kyla voulut la remercier, mais les commentaires amusés ou incrédules des courtisans couvrirent sa voix. Roland s'était placé juste derrière elle, et sa présence dans son dos avait quelque chose de rassurant. En s'appuyant contre son torse, elle pouvait sentir battre son cœur. Elle ferma brièvement les yeux, savourant cette sensation… avant de les rouvrir en sursaut.

Elle était devenue sa femme !

— Oui, lady Béatrice, répondait Roland à une question. Cela s'est décidé très subitement.

Kyla voulut s'écarter, mais Roland la tenait fermement. À présent, le concert de félicitations l'emportait. Quelques femmes, imitant l'exemple de lady Élisabeth, s'approchèrent pour embrasser Kyla sur les deux joues. La jeune femme s'obligea à gratifier chacune d'un sourire. Roland ne la lâchait toujours pas.

— Quelle histoire romanesque ! commenta lady Élisabeth. Je compte sur vous pour me la raconter un jour !

Kyla ne sut quoi répondre. Que pouvait-elle partager avec ces gens – même avec une ancienne amie de sa mère ? Heureusement, lady Élisabeth lui tapota affectueusement la main puis s'éloigna, donnant aux autres le signal d'une retraite que la politesse exigeait. La foule se dispersa tandis que Roland, pour s'excuser, expliquait qu'ils avaient tous deux besoin de repos.

Ils quittèrent l'antichambre au bras l'un de l'autre, sous les regards curieux de l'assistance.

Roland entraîna Kyla dans les recoins du palais. La jeune femme le suivit sans piper mot, encore choquée par les bouleversements qu'elle venait de vivre en moins d'une heure. Comment pourraient-ils se sortir du piège qu'il avait tissé au-dessus de leurs têtes ?

Plus elle y réfléchissait, moins elle entrevoyait d'issue. Le roi et toute la cour les considéraient désormais comme mariés. Elle savait bien que ces vœux qu'ils avaient échangés en privé avaient autant de légalité que s'ils avaient été prononcés publiquement.

Mariés ! Ils étaient mariés. Elle en tremblait.

Roland voyait bien que Kyla tenait à peine sur ses jambes. Il la soutenait par le bras, en espérant qu'ils auraient le temps de gagner ses appartements. Une fois à l'abri des regards indiscrets, elle pourrait s'évanouir tout son soûl.

Il ne voulait pas chercher à savoir ce qui l'avait poussé à agir comme il l'avait fait dans l'antichambre. Certes, son mensonge devant Henry n'était pas sans risque. Si la supercherie avait été découverte, ils auraient tous les deux été perdus. Mais cela ne suffisait pas à justifier une telle précipitation.

Il aurait très bien pu emmener d'abord Kyla à Lorlreau, et l'épouser là-bas. Harrick aurait conduit la cérémonie sans protester et n'en aurait soufflé mot à personne.

Mais, en traversant l'antichambre au milieu de toute cette foule, Roland avait porté son regard sur la femme qu'il tenait par la main, et il avait été ému par la délicatesse de ses traits, le dessin parfait de ses lèvres...

Un désir violent s'était emparé de lui. Il avait eu envie de la posséder, de pouvoir lui faire l'amour autant qu'il le voudrait et quand il le voudrait, jusqu'à l'épuisement. Il avait alors compris qu'il ne pourrait jamais la laisser repartir, ainsi qu'elle le souhaitait. Et puisque la situation jouait en sa faveur, ses lèvres, ses yeux, ses cheveux – son corps tout entier lui appartiendrait bel et bien.

Lorsqu'elle avait cédé, prononçant les mots qu'il brûlait d'entendre, une intense satisfaction s'était emparée de lui, et il avait pensé : *Enfin*.

Elle avait tenu bon contre l'assaut des courtisans, et du reste il n'en avait pas été étonné. Kyla Warwick – non ! Kyla Strathmore n'était pas une petite fleur fragile.

C'était plutôt une lionne. Belle et pleine de ressources.

Mais il comprenait qu'elle manifeste à présent des signes de faiblesse. Un contrecoup de ce qu'ils venaient d'endurer. Heureusement, ils étaient presque arrivés à ses appartements.

Elle s'arrêta devant la porte, hésitante, comme si elle craignait qu'il ne l'abandonne dans le couloir. Roland lui fit signe de la précéder à l'intérieur. Elle entra, s'immobilisant au bout de quelques pas, regardant distraitement du côté de la fenêtre.

Celle-ci ouvrait sur la grande cour de la forteresse, et Roland évitait généralement de s'approcher de la croisée. Henry lui donnait toujours les mêmes appartements quand il venait à Londres. Ce n'était peut-être pas innocent : il se passait dans cette cour des *choses* qu'il n'avait aucune envie de voir. Henry devait s'en douter, et il s'obstinait à le loger ici, comme une sorte d'avertissement sur ce qu'il en coûtait d'être déloyal envers son souverain.

Roland referma la porte et tira le loquet.

Kyla semblait perdue, tout à coup, silhouette solitaire plantée au milieu du tapis. Mais elle gardait son dos parfaitement droit.

— Impressionnant, murmura-t-elle, et il ne sut si elle parlait de la pièce, de la vue, ou de ce qui s'était passé chez le roi.

Elle lui lança un regard par-dessus son épaule.

— Les chambres du donjon ne sont pas aussi propres ni ne sentent aussi bon, dit-elle, désignant le plancher récemment lessivé.

— J'en suis désolé, répondit Roland, qui aurait voulu dissiper toute trace de son malaise.

— Désolé de quoi ? répliqua-t-elle. Vous n'avez pas à vous excuser : vous ne faisiez que votre devoir. Du moins, celui qu'on vous réclamait.

— C'est exact, approuva Roland.

Il la rejoignit et ajouta, avec emphase :

— Ma chère épouse.

Elle baissa brusquement les yeux.

— Ce... C'est impossible... murmura-t-elle d'une voix blanche.

— Pas du tout, objecta Roland, qui était prêt à se battre pour défendre ce mariage avec une véhémence qui le surprenait lui-même. Vous avez prononcé vos vœux, Kyla. Et je vous ai donné les miens. Ce qui est fait est fait.

Elle parut vouloir le contredire. Mais, pour une raison ou une autre, elle renonça à argumenter, se contentant de parcourir la chambre du regard comme si la réponse à son problème se trouvait dans le mobilier ou les tapisseries.

Roland décida de pousser son avantage.

— Vous n'iriez pas renier votre parole, Kyla.

C'était un constat, pas une question.

Elle croisa les bras. Ses yeux avaient retrouvé leur éclat combatif.

— Non, bien sûr que non.

— Parfait. Alors je suggère que nous dînions, avant de nous retirer pour la nuit. Demain, la journée sera longue.

Et sans lui accorder une chance de répondre, il lui prit la main et la conduisit dans la pièce contiguë. Lui-même s'arrêta sur le seuil.

— Profitez donc de la bassine pendant que je m'occupe du dîner. Il y a de l'eau chaude dedans.

— Comment savez-vous…

Roland sourit.

— Henry traite bien ses invités. La bassine est constamment chauffée.

Il avait raison. Après un dernier sourire – un sourire tendre et intense auquel il était difficile de rester indifférente –, il referma la porte en bois sculpté. Kyla s'approcha de la bassine en cuivre posée sur un trépied devant la cheminée. Elle avait accumulé assez de chaleur pour garder l'eau délicieusement propice à la toilette.

C'étaient donc là ses quartiers. Ils n'étaient ni aussi grands ni aussi luxueusement meublés que les appartements privés de Henry, mais ils étaient de toute évidence plus faciles à chauffer.

Kyla repéra un grand coffre en bois, pour ranger les vêtements ; quelques fauteuils en bois et cuir ; un paravent en bois lui aussi, sculpté.

Et un lit, bien sûr.

Il n'était pas immense. Assez grand pour accueillir quelqu'un de la stature de Roland Strathmore. Mais à deux, il aurait fallu se serrer.

Kyla détourna prestement les yeux et chercha, du regard, une alternative pour dormir. Les fauteuils ? Ils paraissaient confortables, mais elle n'avait pas envie de passer la nuit assise.

Le plus simple serait de prendre des couvertures et de les disposer par terre. Et puis, Roland serait peut-être assez galant pour lui abandonner…

Non, réalisa soudain Kyla avec un choc. Il était désormais son mari. Donc, il voudrait probablement coucher avec elle.

Quoi qu'il en soit, son coup de bluff devant le roi avait été incroyable. Et très chevaleresque de sa part – en tout cas, certainement pas conforme à sa réputation d'«Âme damnée» du souverain. Pourquoi diable avait-il fait une chose pareille ?

L'eau chaude semblait l'inviter silencieusement. C'était autrement plus agréable que la cellule qu'on lui avait assignée ! Kyla décida de savourer pleinement sa toilette et de ne plus penser à autre chose pour l'instant.

Prenant ses aises, elle tira le paravent près de la cheminée puis elle se déshabilla derrière, noua ses cheveux en chignon sur son crâne et s'approcha de la bassine.

Une éponge de mer était disposée à côté – les hôtes de marque avaient droit à tout le luxe, songea amèrement la jeune femme – et elle s'en servit pour se frotter tout le corps. Elle était ravie de pouvoir se débarrasser de la poussière accumulée pendant leur long voyage, et elle n'aurait jamais pensé qu'un simple débarbouillage au moyen d'une éponge lui procurerait un tel bien-être.

Sa toilette terminée, elle s'accroupit devant le feu pour se sécher.

C'est alors que la porte s'ouvrit.

Paniquée, Kyla fila s'abriter derrière le paravent.

— Kyla, il vient d'arriver…

Roland s'immobilisa en voyant le chignon de la jeune femme dépasser du paravent.

120

— Je… euh… balbutia-t-il.

Kyla pouvait l'observer par une petite fente entre deux panneaux du paravent. Il semblait décontenancé, et il gardait les yeux rivés sur son chignon. Il tenait à la main un sac qui paraissait contenir des vêtements, mais le sac pendait lamentablement, comme s'il avait oublié qu'il portait ce fardeau. Puis son regard accrocha celui de la jeune femme à travers l'interstice du bois, et il esquissa l'un de ses sourires charmeurs auxquels elle ne pouvait résister.

— Oui, milord ? fit-elle d'un ton qu'elle espérait neutre.

Sans cesser de sourire, Roland baissa les yeux sur le sac qu'il tenait.

— Cela vient juste d'arriver pour vous. C'est une soubrette qui l'a apporté. De la part d'une certaine lady de Corbeau, a-t-elle précisé.

— Lady Élisabeth ? Et qu'est-ce que c'est ?

— Je ne sais pas. Des vêtements, je suppose.

Et, son sourire s'élargissant, il proposa :

— Pourquoi ne venez-vous pas voir par vous-même ?

— Plus tard, merci. Posez-le sur un fauteuil, pour l'instant.

Kyla se sentait brûlante, et ce n'était pas à cause des bûches crépitant dans l'âtre. Bien qu'elle fût certaine qu'il ne pouvait la voir, elle avait l'impression que Roland la détaillait de pied en cap.

— Sur un fauteuil, milord, le pressa-t-elle, priant le Ciel pour qu'il déguerpisse au plus vite.

Il resta un moment immobile, à contempler le sac, comme s'il débattait avec lui-même de la conduite à tenir. Puis il s'inclina en direction du paravent – mais sa révérence avait quelque chose d'impertinent, et même de coquin – avant d'abandonner le sac sur le fauteuil le plus proche.

— Le dîner est servi, milady. Je n'attends plus que vous pour commencer.

— Vous pouvez compter sur moi, s'entendit répondre Kyla, qui se trouva parfaitement ridicule.

Il referma la porte derrière lui.

Kyla attendit encore quelques instants, avant de se risquer vers le fauteuil pour s'emparer du sac et le rapporter derrière le paravent. Comme il était assez lourd, elle fut presque obligée de le tirer.

C'était bien un sac de vêtements, fermé par une cordelette en satin. À l'intérieur, elle trouva des robes ravissantes, coupées dans les meilleures étoffes. Le genre de toilettes qu'elle avait toujours été habituée à porter – enfin, jusqu'à ces derniers mois.

Lady Élisabeth avait eu la bonté de lui venir en aide. Dans un petit mot accompagnant le sac, elle enjoignait Kyla de considérer ces robes comme les siennes, tant qu'elle n'aurait pas eu le temps de se reconstituer une garde-robe.

Et c'était signé : *Votre amie, Élisabeth de Corbeau*.

Au moins, le roi serait satisfait.

Elle choisit une robe, l'enfila puis, ouvrant discrètement la porte, se faufila dans la pièce voisine sur la pointe des pieds. Roland devina son arrivée plus qu'il ne l'entendit. Il commençait à s'habituer à cette sensation unique qu'elle faisait naître en lui dès qu'elle s'approchait, même dans son dos. Si bien que, quand il se retourna, il avait eu le temps de se composer une expression. Pourtant, son sourire de bienvenue se figea.

Il ne s'attendait pas à cela. Depuis qu'ils se côtoyaient, il n'avait jamais vraiment fait attention à son allure. Du reste, la jeune femme n'avait besoin d'aucun apprêt pour mettre sa beauté en valeur. Aussi l'état de sa garde-robe ne l'avait-il jamais préoccupé – sinon qu'il avait remarqué que la robe confiée par l'aubergiste était trop grande pour elle.

Mais voici qu'il découvrait une autre lady Kyla – une créature à l'éclat incomparable.

Sa robe, dans des tons de bleu et gris, mettait ses seins en valeur, épousait le reste de sa silhouette à la perfection et tombait sur ses chevilles avec un drapé tout féminin.

Roland en oublia une seconde de respirer. La jeune femme s'avança vers lui et sa robe bougea avec elle, soulignant les courbes de ses hanches dans une débauche de bleu saphir et de gris perle. Une ceinture en argent lui ceignait la taille, dont les deux pans tombaient si bas qu'ils disparaissaient entre ses jambes à chacun de ses pas.

Roland déglutit péniblement.

Elle le dépassa sans croiser son regard, s'arrêta devant la chaise qu'il avait tirée pour elle et s'assit, rassemblant ses jupes autour d'elle.

Roland avait l'impression de voir la jeune femme pour la première fois. Il s'émerveillait de découvrir le contraste harmonieux que tissaient entre elles certaines couleurs, comme par exemple le bleu vibrant de sa robe, le brillant flamboyant de sa chevelure et la pâleur ivoirine de son teint. Il n'avait jamais non plus réalisé qu'un décolleté pouvait à ce point rendre appétissant ce qu'il ne faisait pourtant que dévoiler à moitié.

Et cette femme était sa femme.

Il saisit avec galanterie le dossier de sa chaise pour la rapprocher de la table. Son regard, de ce fait, tomba directement dans son décolleté. Chaque fois que la jeune femme inspirait, il voyait sa poitrine se soulever et gonfler le tissu qui…

Il ferma brièvement les yeux et se résolut à gagner son propre siège.

Kyla était très calme. Elle gardait les yeux baissés, comme si elle était perdue dans ses pensées, et elle n'avait probablement aucune idée de la direction suivie par celles de Roland.

— Avez-vous faim ? demanda-t-il, masquant son trouble par un geste en direction des plats disposés sur la table. J'ai peur que tout ne soit froid.

— Je suis si affamée que je pourrais manger ma chaise, répondit-elle.

Il rit.

— Nous allons sûrement trouver quelque chose plus à votre goût.

Il entreprit l'inventaire des mets qu'on leur avait servis, lui réservant les meilleurs morceaux qu'il déposait dans son assiette. Kyla le laissait faire sans un mot, se contentant d'observer ses mains passer d'un plat à l'autre. Tout cela paraissait normal – terriblement normal : qu'ils se retrouvent ainsi à une table pour dîner en tête à tête. Après tout, ils l'avaient déjà fait ; plusieurs fois durant leur voyage, Roland l'avait rejointe pour le repas. Il savait ce qu'elle aimait ou détestait. Mais, à l'époque, il était son ravisseur et elle, sa prisonnière.

Ce soir, c'était différent. Ils en étaient conscients tous les deux, même si ni l'un ni l'autre ne le formulait à haute voix.

Elle mangeait délicatement, ne prenant que de petites bouchées qu'elle avalait avec grâce. Roland pouvait difficilement s'empêcher de la regarder manger : elle en faisait pratiquement un art. Cette façon, par exemple, qu'elle avait de tenir son morceau de fromage entre ses doigts, avant de refermer les lèvres dessus, avec une précision sensuelle… et tout cela sans croiser son regard.

Lui-même ne toucha presque pas aux plats. Il n'avait pas faim, du moins pas ce genre de faim. Son appétit venait de beaucoup plus loin. La lumière dansante du feu jetait des taches colorées sur le décolleté de la jeune femme, qui l'hypnotisaient.

— Vous m'avez paru faire grosse impression auprès des courtisans, milord, dit-elle, rompant le silence, tandis qu'elle trempait un morceau de rôti dans la sauce à la moutarde.

— Croyez-vous ? fit Roland, qui jouait avec la pointe de son couteau dans son assiette.

— Capturer la scandaleuse héritière Warwick et la ramener à Londres : quel exploit !

— Ne faites pas attention à ces gens, Kyla. Ils ne méritent pas qu'on s'intéresse à eux.

— Vraiment ?

— Vous les connaissez aussi bien que moi : ils ne se passionnent que pour les scandales ou les nouvelles sensationnelles. Les malheureux n'ont rien d'autre pour s'occuper.

— Ils étaient venus en masse à Rosemead. Après le drame, bien sûr.

Comme il demeurait silencieux, elle ajouta, le regard perdu dans le vague :

— J'aimerais y retourner.

— À Rosemead ?

— C'est ma maison.

Roland considéra sa requête.

— Je crois qu'il serait préférable que vous vous teniez éloignée de Rosemead, au moins un certain temps.

Elle parut surprise.

— Pourquoi?

— J'ai dit à Henry que je vous emmenais à Lorl-reau. C'est donc à cela qu'il s'attend. Rosemead est trop près de Londres. S'il vous savait là-bas, il pourrait changer d'avis et vouloir vous garder ici.

La menace était évidemment inventée de toutes pièces. Mais Roland souhaitait désespérément qu'elle y croie.

— Vous reverrez Rosemead, ne craignez rien, enchaîna-t-il pour la rassurer.

— Quand?

— Un jour. Quand le scandale sera retombé et oublié. D'ici là, Lorlreau est le plus sûr endroit pour vous.

Son visage s'était renfrogné. Et elle tapotait des doigts sur la nappe.

— Je vais envoyer des hommes enquêter sur la mort de votre mère. Il serait préférable que vous soyez absente pendant ce temps, suggéra-t-il en désespoir de cause.

Elle se décida à lever les yeux vers lui.

— Je les ai entendus complimenter votre ruse.

— Ma ruse?

Roland n'aurait pas su dire à quoi elle faisait précisément allusion. Peut-être la comédie qu'il avait jouée devant le roi?

Elle précisa :

— Pour la lettre. Celle que vous avez envoyée à Glencarson. Ils ont trouvé cela bien joué.

— Oh, fit Roland, qui n'avait aucune envie de reparler de cette histoire. Encore un peu de vin? proposa-t-il, et il remplit son verre sans même attendre la réponse.

126

— C'était effectivement très bien joué, murmura-t-elle en le regardant d'un air songeur.

— Merci, dit-il avant de porter sa coupe à ses lèvres. Un toast?

Elle leva sa coupe, et il trinqua avec elle :

— À lady Strathmore. L'intrépide.

Elle rit. Roland but sa coupe et, après un moment, elle l'imita.

Il reposa sa coupe.

— Êtes-vous fatiguée, milady?

Elle lui adressa un regard nerveux, puis parla dans son vin :

— Non. Enfin... oui.

Roland se leva de table pour rejoindre la jeune femme. Il lui prit sa coupe des mains, la posa sur la table, puis lui tira doucement le bras afin de l'obliger à se lever elle aussi.

— Alors, oui ou non?

Elle renversa la tête en arrière, croisant son regard. Le sien était lumineux, et il comprit qu'il était perdu. Elle était trop belle. Et désormais, elle lui appartenait. Plus rien ne pourrait l'empêcher de goûter à ses lèvres.

Et c'est ce qu'il fit.

Dieu, comme ses lèvres étaient douces! Plus douces encore que dans son souvenir.

Il repoussa la chaise d'un coup de pied et, sans cesser d'embrasser la jeune femme, la serra davantage contre lui, s'enivrant de sentir ses seins se presser sur son torse.

Cette fois, il n'y avait plus de cotte de mailles pour les séparer. Rien, sinon le tissu de sa robe et celui de sa tunique.

Elle tremblait légèrement, mais elle lui retourna son baiser. Cependant, lorsqu'il voulut l'entraîner vers la chambre, elle laissa échapper un petit gémissement. Roland refusait qu'elle se mette à protester, son désir était trop brûlant. Aussi la souleva-t-il dans ses bras afin de la porter vers son lit. Il l'étendit sur les couvertures et la couvrit de son propre corps, avant qu'elle ait pu esquisser le moindre mouvement.

Il n'avait jamais désiré une femme avec une telle violence. Son désir le dévorait littéralement.

Il enfouit son visage dans l'abondante chevelure de la jeune femme, se délectant de leur texture soyeuse, tandis que de ses mains il lui soulevait les hanches pour les presser contre les siennes, afin qu'elle perçoive l'intensité de son désir.

— Milord... murmura-t-elle d'une petite voix.

Roland s'empara à nouveau de ses lèvres, voracement, envahissant sa bouche avec sa langue, tel un avant-goût du rythme que son corps voulait imprimer au sien.

Mais elle plaqua ses mains sur ses épaules pour le repousser.

Non! protesta Roland de toute son âme.

Elle gigotait sous lui, tentant de se libérer.

— Milord, s'il vous plaît...

L'anxiété altérait sa voix. Lâchant prise, il posa la tête au creux de l'épaule de la jeune femme, serrant les dents pour juguler son désir.

Elle était parfaitement immobile à présent, ses doigts agrippés à ses épaules dans une posture figée de rejet.

Finalement, Roland roula sur le côté, puis sur le dos, contemplant le plafond avec une parodie de sourire.

— Je vous demande pardon, dit-il.

Elle se redressa, mais ce fut pour s'asseoir, et non descendre du lit. Elle polissait nerveusement, du plat de la main, les plis de ses jupes.

— C'est juste... que je ne vous connais pas, expliqua-t-elle après un long silence.

Il voulut rire, mais n'y parvint pas. C'était trop douloureux, en vérité.

— J'essayais justement d'y remédier, milady.

Sa plaisanterie n'eut pas d'écho.

— J'ignore qui vous êtes, reprit-elle. Mon ennemi, ou mon ami ? Quand je crois connaître la réponse, votre conduite m'incite tout à coup à réviser mon jugement.

— Je suis votre mari, lui rappela-t-il.

— Oui, admit-elle, mais sans aller plus loin.

Roland jeta un regard dans sa direction. Elle se mordillait la lèvre inférieure.

— Beaucoup penseraient, à raison, que c'est largement suffisant, fit-il valoir.

Elle baissa la tête, et son visage lui fut caché par le rideau de ses cheveux.

— Je sais.

Roland tendit le bras pour capturer une de ses mèches. Il l'enroula d'abord autour de son doigt, puis de sa main tout entière, et pour finir de son poignet, attirant du même coup la jeune femme vers lui, jusqu'à ce que leurs visages se retrouvent face à face. Il glissa la main sur sa nuque.

— Mais à vous, cela ne suffit pas ? demanda-t-il tendrement.

— Non.

— En êtes-vous sûre ? La loi, pourtant...

— Tout ce que je sais, c'est ce que je ressens dans mon cœur, lord Strathmore.

Leurs lèvres se frôlaient presque. Mais il comprit qu'elle ne franchirait pas la distance qui les séparait.

— Pour ma part, je ressens que j'ai tous les droits de mieux *connaître* ma femme, répliqua-t-il avec une emphase délibérée. Et personne ici-bas ne pourra me convaincre du contraire.

— À part moi, évidemment.

Roland aurait parfaitement pu user de la force. Elle le savait autant que lui. Elle n'était pas de taille à lutter : s'il décidait de consommer leur mariage ici et maintenant, elle n'aurait d'autre choix que de se soumettre.

En revanche, elle serait libre de le haïr.

Il relâcha sa nuque.

— À part vous, convint-il, avant de soupirer et de fermer les yeux.

Il s'en voulait d'avoir songé à la forcer – et même, il en avait un peu honte. Il ne referait jamais une chose pareille.

— Je suis désolée, dit-elle, bien qu'à son ton elle ne parût pas le moins du monde désolée.

— Pas plus que moi, je vous assure.

Il y eut un long silence. Roland s'obligeait à maîtriser le feu qui coulait encore dans ses veines. Kyla restait immobile près de lui. Sans doute songeait-elle à sa vertu, au monstre qu'elle avait épousé et à Dieu sait quoi encore.

Finalement, elle bougea.

— Je vais dormir à côté, milord.

— Non, c'est inutile.

Il se redressa brusquement, et il la vit reculer en sursaut, comme par réflexe. Son irritation monta d'un cran. Ajoutée au sentiment de culpabilité qui le taraudait, et à ce désir qu'il n'avait pas complètement jugulé, elle rendit sa voix plus coupante qu'il ne l'aurait souhaité :

— C'est moi qui vais dormir à côté.

Il attrapa une couverture et passa dans l'autre pièce.

8

Kyla aperçut la première fois son île dans les pires conditions.

Dire que la mer était agitée était en dessous de la vérité. Si loin que portât le regard de la jeune femme – ce qui n'était pas bien loin, en raison de l'épais brouillard –, des vagues monstrueuses s'élevaient, ballottant sans ménagement l'embarcation dans laquelle ils se trouvaient.

Elle en avait l'estomac retourné, mais il n'était pas question qu'elle manifeste la moindre faiblesse, alors que Roland et ses hommes semblaient parfaitement à leur aise. Probablement avaient-ils effectué cette traversée – et par des mers encore plus démontées – des centaines de fois.

Kyla ne s'était pas attendue à cette expédition. Ce n'est qu'une fois en pleine mer qu'elle s'était souvenue d'avoir entendu quelqu'un lui dire un jour que le comte de Lorlreau vivait sur une île. Ce détail avait ensuite été englouti par le tourbillon des événements, au point qu'elle avait complètement oublié que Lorlreau était la plus grande île d'un chapelet de trois, composant le comté du même nom.

Le vent mordant traversait son épais manteau et secouait ses cheveux en bataille. Elle se tenait agrippée au bastingage, courageuse à l'extrême, fouillant le brouillard des yeux à la recherche d'un bout de côte qui lui annoncerait que cette épreuve toucherait bientôt à sa fin.

Ils avaient quitté Londres dès le lendemain matin de leur arrivée. Quelques coups frappés sèchement à la porte avaient précédé son mari, qui à peine entré dans la chambre avait froncé les sourcils en constatant qu'elle était toujours couchée. Il lui avait ordonné de se préparer au plus vite.

Sa mauvaise humeur était sans doute le résultat de sa nuit passée dans l'autre pièce – et d'après les bruits qu'elle avait pu entendre, il n'avait pas beaucoup dormi. Ou bien il y avait une autre raison, à laquelle Kyla préférait cependant ne pas penser, car cela la troublait trop.

Elle ne pouvait nier qu'il était bel homme. Elle en était parfaitement consciente. Et il savait divinement embrasser. C'était à la fois délicieux et mystérieux : dans ses bras, elle avait l'impression d'être entraînée vers quelque destination qu'elle ignorait, mais qu'elle désirait découvrir.

Aussi n'avait-elle pas hésité à lui rendre ses baisers. En vérité, elle n'avait pas pu se retenir.

Ce qui ne l'empêchait pas de continuer à nourrir des appréhensions à son sujet.

Comment pourrait-elle envisager de faire l'amour avec lui, alors qu'il était «l'Âme damnée de Henry»?

Et comment pourrait-elle le lui refuser alors qu'elle était désormais sa femme?

D'un côté, Kyla refusait de partager quoi que ce soit avec cet assassin. Leur mariage n'était qu'une sinistre comédie.

D'un autre côté, elle devait bien s'avouer – quoi qu'il lui en coûtât – que son corps la trahissait sans vergogne, et qu'il se moquait bien de meurtres ou de trahisons. Pour tout dire, elle le désirait. Avec une force qu'elle n'aurait jamais imaginée avant ce premier baiser, dans la forêt. Elle se languissait à présent de ses baisers, de ses caresses, et elle était avide de connaître la suite de cette épopée érotique qu'ils avaient débutée ensemble.

Pourtant, c'était un assassin.

À force de ressasser ces sentiments contradictoires, Kyla en avait la migraine. Aussi préférat-elle se concentrer sur la mer qui s'agitait devant eux.

Sur le bateau, Roland demeurait avec elle aussi distant qu'il l'avait été ces deux derniers jours. Ni froid ni hostile : juste poli. Comme s'ils étaient parfaitement étrangers l'un à l'autre.

De temps à autre, lorsqu'il se trouvait près d'elle sur le pont, le vent envoyait une mèche de ses cheveux fouetter son visage. Kyla n'y pouvait rien : elle était incapable, par ce temps, de domestiquer sa chevelure. Roland repoussait la mèche sans émettre un commentaire, et sans même la regarder.

Pour le reste, il semblait très bien s'accommoder de cette traversée. Alors que Kyla n'en revenait toujours pas qu'ils aient pu appareiller par un temps pareil – la tempête était déjà perceptible au port. Et surtout, avec une aussi frêle embarcation.

Kyla avait d'abord cru à une plaisanterie. Mais non. Roland était sérieux. Ses hommes aussi. Et une partie de la troupe s'était agglutinée sur ce minuscule bateau qui faisait maintenant route vers Lorlreau. Le reste du contingent était demeuré à quai, dans l'attente d'un autre navire, plus grand, qui leur permettrait d'emmener également les chevaux.

Ces hommes un peu rudes l'avaient aidée à monter à bord comme si elle était en cristal et l'appelaient « comtesse ». La première fois qu'elle avait entendu son nouveau titre, c'était à Londres, quand une soubrette était venue l'habiller le matin du départ. Kyla n'avait pas réagi, persuadée que la servante la confondait avec quelqu'un d'autre. Au bout d'un moment, cependant, elle avait compris que la soubrette s'adressait bien à elle, et que c'était elle, la comtesse. La situation l'aurait sans doute beaucoup amusée, si elle ne lui avait pas paru aussi étrange.

À présent, elle commençait à s'y habituer. Duncan, le capitaine de Roland, ne lui parlait qu'en utilisant son titre, ce qui incitait les autres à l'imiter. Ce n'était plus que comtesse par-ci, et comtesse par-là. Pourtant, Kyla était convaincue que si elle devait se trouver dans la même pièce qu'une autre comtesse, elle aurait encore bien du mal à savoir à qui les gens s'adresseraient.

Le soleil se décida enfin à percer les nuages. Et à la suite, le brouillard consentit lui aussi à se lever. C'est alors qu'apparut Lorlreau.

Un cri d'allégresse jaillit de la poitrine des hommes. Kyla, emportée par l'émotion, se joignit à eux.

Telle une promesse enchantée, Lorlreau surgissait des flots avec ses montagnes, ses vallées verdoyantes, ses falaises qui plongeaient droit dans les flots, ses plages bordées d'arbres et, à l'arrière-plan, la silhouette d'un château qui se dessinait dans les collines. Le soleil donnait un éclat particulier à ce décor, réchauffant les couleurs, avivant les contrastes.

Des gens se massaient déjà sur l'une des falaises surplombant la mer. Ils arrivaient de plus en plus nombreux, criant et faisant de grands signes de la main. Certains sautaient même sur place de joie.

Et les hommes, à bord du bateau, souriaient comme des enfants.

Même la mauvaise humeur de Roland semblait s'être dissipée avec le brouillard. Le soleil éclairait ses cheveux et donnait à ses yeux turquoise une nuance indéfinissable, magique. Il souriait, lui aussi.

Tandis qu'ils approchaient de la falaise, Kyla entendit les cris de joie de la foule, qui appelait les hommes par leurs noms. Des enfants couraient au milieu des adultes. Tout le monde riait ou souriait.

La jeune femme chercha une jetée du regard. Mais il n'y en avait pas. Elle réalisa qu'ils accosteraient à même la falaise : elle distinguait, à présent, une échelle de fer rivée dans la paroi.

Leur navire vint se ranger contre la falaise et aussitôt, des hommes en haut lancèrent des cordes à l'équipage, pour l'aider à assujettir le navire. Puis vint le moment de débarquer…

Kyla fut invitée à passer la première.

— Ne regardez pas sous vos pieds, lui conseilla Roland, qui l'aida à grimper sur le premier échelon.

La jeune femme ferma brièvement les yeux, luttant contre le vertige qui la menaçait, puis elle entreprit de gravir l'échelle. Le métal était glacial et humide. L'ascension n'était pas bien terrible, mais Kyla eut l'impression que cela durait une éternité : elle était pratiquement obligée de reprendre des forces à chaque échelon, pour trouver le courage de monter le suivant. Le bruit des vagues venant buter contre la falaise, en dessous d'elle, se réverbérait dans l'air.

Des bras se tendirent pour l'aider à gravir les deux derniers échelons. À peine eut-elle posé le pied sur la terre ferme que Kyla se retrouva entourée d'étrangers, qui la détaillaient de la tête aux pieds sans piper mot. Elle ne savait quoi regarder : ces gens qui la dévisageaient, le ciel, le sol ou son mari, qui l'avait déjà rejointe ?

— Mes amis, intervint Roland, je vous présente lady Kyla Strathmore, comtesse de Lorlreau.

Plusieurs femmes laissèrent échapper un cri de surprise et se couvrirent la bouche de leurs mains. Les hommes paraissaient moins stupéfaits, mais quelques-uns échangèrent des regards entendus. Quant aux enfants, ils ne semblaient pas comprendre et s'accrochaient aux jupes de leurs mères.

Un homme se détacha de la foule. Il souriait, comme s'il était particulièrement ravi. Prenant Kyla par les épaules, il l'embrassa sur les deux joues.

— Bienvenue, ma sœur, dit-il.

Sa formule résonna comme un signal. Aussitôt, les autres se précipitèrent sur Kyla pour la saluer. Quelques-uns lui étreignirent les mains.

Entre-temps, les soldats avaient grimpé à leur tour. La foule se porta vers eux pour fêter les retrouvailles.

L'homme qui avait embrassé Kyla donna ensuite l'accolade à Roland. Il portait une robe de moine, ce qui expliquait peut-être pourquoi il l'avait appelée «ma sœur», songea la jeune femme. Mais quand les deux hommes se tournèrent vers elle, elle fut stupéfiée par leur ressemblance : la même mâchoire volontaire, le même nez parfaitement découpé. En revanche, le moine avait les cheveux plus foncés que Roland. Et bien que ce dernier ait paru déjà très grand à Kyla, le moine le dépassait encore d'une tête. Il avait l'air d'un géant.

— Kyla, dit Roland, je vous présente mon frère, Harrick.

Elle inclina poliment la tête, esquissant même une révérence.

— Oh, pas de ces formalités avec moi, protesta Harrick, la pressant de se redresser. Je ne suis que son demi-frère, figurez-vous.

Roland prit Kyla par la taille et entraîna le trio à l'écart de la falaise.

— Où est Elysia ?

— Avec Marla, à Lorlmar. Nous t'attendions déjà depuis quelques semaines, et elle mourait d'impatience de te revoir.

— Nous avons été retardés, répondit Roland, serrant un peu plus fort Kyla contre lui.

Harrick hocha la tête.

— Je comprends. Félicitations, pour ton mariage.

Roland s'esclaffa.

— Ce n'est pas cela qui nous a retardés.

Roland raconta de nouveau leur histoire, comme avec Henry, mais cette fois en abrégé. Harrick l'écouta sans l'interrompre, jetant seulement un regard à Kyla lorsque Roland en vint à l'épisode de leurs vœux prononcés dans l'antichambre royale.

L'air était frais, mais moins glacial qu'en mer. La jeune femme pouvait entendre des oiseaux chanter un peu partout autour d'eux, et des fleurs jaunes, blanches ou roses poussaient entre les pierres du chemin.

Kyla se demandait qui pouvait bien être Elysia.

Harrick résumait maintenant ce qui s'était passé sur l'île pendant l'absence de Roland :

— ... et Madoc s'est beaucoup plaint de l'insolence supposée des domestiques, après qu'il a trouvé une anguille dans son lit.

Roland s'esclaffa.

— Je parierais qu'il l'avait placée lui-même.

— Ça ne m'étonnerait pas, acquiesça Harrick. Ou alors, c'était Seena.

Les deux frères rirent de bon cœur. Puis Harrick remarqua :

— Mais je crois que nous sommes impolis envers ton épouse, à raconter nos histoires.

Et, se tournant vers Kyla :

— Vous n'allez pas tarder à rencontrer Madoc et Seena. Ils ne quittent plus guère Lorlreau, désormais. Ils prétextent qu'ils sont trop vieux, mais la vérité c'est que le château s'écroulerait, sans eux.

Comme Kyla ne savait trop quoi répondre, elle se contenta de hocher la tête. Elle était – agréablement – stupéfaite de l'aisance avec laquelle Harrick la traitait. Et le bras de Roland autour de sa taille la rassurait. Elle s'intéressa de nouveau au décor qui l'entourait.

Des bois touffus encadraient le chemin. De vieux arbres noueux, à feuillage persistant, dégageaient un parfum qui ajoutait à l'atmosphère un peu mystique de cette île. À un moment, Kyla vit quelque chose briller, avant de se rendre compte que c'était le soleil qui s'était reflété dans l'œil d'une biche. Sans ralentir le pas, la jeune femme observa la biche, qui l'observa en retour, protégée par le couvert des arbres. Puis l'animal se pencha pour brouter quelques brins d'herbe, redressa la tête en ruminant et continua de suivre des yeux le trio sans manifester la moindre appréhension.

— Nous arrivons bientôt, annonça Harrick. Nous prenons rarement les chevaux pour rallier l'embarcadère, la distance étant courte et la promenade plaisante. J'espère que vous n'êtes pas trop fatiguée ?

— Pas du tout.

C'était en vérité très agréable de pouvoir marcher, après cette traversée agitée, et de se retrouver au milieu de la forêt. Les arbres montaient à l'assaut du ciel et mêlaient les espèces : chênes, pins, bouleaux... et d'autres, dont Kyla ignorait le nom. Partout, des fleurs pointaient leurs couleurs chaudes.

On aurait dit une île de conte de fées, tant ce paysage semblait irréel. Et maintenant, surgissant entre deux grands chênes qui bornaient l'extrémité du chemin, se dressait le château : Lorlmar.

Il avait été construit dans ce même grès aux nuances de rose et d'or qui constituait le socle de l'île. Et c'était aussi un château de conte de fées, en harmonie parfaite avec le décor. Ses murs crénelés et ses tourelles lui donnaient une apparence fantasque. Les hautes fenêtres se terminaient en pointe et un chemin de ronde faisait le tour de la bâtisse.

La porte, très grande et semblait-il très lourde, s'ouvrit et des gens apparurent. Kyla se demanda combien d'habitants pouvait abriter Lorlreau. Tout à l'heure en débarquant, elle avait pensé avoir rencontré tout le monde, ne s'imaginant pas qu'une aussi petite île pût receler une importante population. Et cependant, il surgissait toujours de nouvelles têtes. Des paysans, des soldats – à en juger par leur costume –, mais aussi les serviteurs du château. Tous manifestaient bruyamment leur joie de revoir leur seigneur, mais la plupart ne prêtaient même pas attention à Kyla.

Combien de serfs, dans toute l'Angleterre, seraient aussi heureux de revoir leur maître ? se dit-elle.

Harrick devina ses pensées.

— Votre mari est très populaire sur ses terres, lady Kyla, expliqua-t-il, alors que Roland était entouré par ses gens. Voilà près d'un an qu'il était parti. Nous commencions à nous demander quand Henry se déciderait à nous le rendre enfin.

— Une année ? Pourquoi aussi longtemps ?

Harrick contemplait les retrouvailles de son frère avec le personnel du château.

— Il est l'un des favoris du roi.

Kyla était bien placée pour le savoir ! Roland lui jetait de temps à autre des regards et tentait de se rapprocher d'elle, mais les autres se disputaient son attention.

— On dirait que ses serfs l'adorent, murmura Kyla.

— Il n'y a pas de serfs à Lorlreau, corrigea Harrick. Tout le monde, ici, est libre.

Et, s'amusant de son étonnement, il ajouta :

— Roland leur a accordé la liberté lorsqu'il est devenu le nouveau comte, il y a quelques années.

— Kyla ! l'appela Roland, lui faisant signe de le rejoindre puisque lui-même n'arrivait pas à bouger. Je voudrais vous présenter quelqu'un.

Harrick aida la jeune femme à se frayer un chemin parmi la foule, qui tout à coup la découvrait avec surprise. Roland se tenait près de l'entrée du château, une femme à son côté. Elle était grande, devait avoir la quarantaine, avec des cheveux bruns et des yeux bleu clair. Elle dévisageait Kyla sans chercher à cacher sa curiosité, sa main reposant sur l'épaule d'une fillette d'environ cinq ou six ans, aux grands yeux sombres, qui s'accrochait à ses jupes.

— Lady Kyla, dit Roland, je vous présente Elysia.

Kyla inclina la tête devant la femme.

— Non, répliqua-t-elle, amusée. Moi, c'est Marla. Et voici Elysia, précisa-t-elle, désignant la fillette.

Avant que Kyla ait pu réagir, la fillette lâcha les jupes de la femme et tendit les bras vers elle, sans un mot. La jeune femme s'agenouilla pour se mettre à sa hauteur, et elle sentit que la foule suivait la scène avec beaucoup d'intérêt.

Kyla prit les mains de la fillette dans les siennes. Elysia fit deux pas en avant. Ses grands yeux restaient vides, mais du bout des doigts, elle caressa le bras de Kyla, puis son épaule et enfin son visage.

Sa main était aussi légère qu'une plume d'oiseau. Elle mémorisait le tracé de son nez, de ses joues, de son front… Kyla demeurait parfaitement immobile, ne fermant les yeux que lorsque la main de la fillette s'en approcha, puis les rouvrant quand Elysia laissa retomber ses mains.

— Nous vous attendions, dit-elle avec gravité. Pourquoi avez-vous mis si longtemps à venir?

Ses yeux étaient si sombres que Kyla avait d'abord pensé qu'ils étaient noirs. Mais non, ils étaient d'un bleu très foncé, ourlés de cils bruns qui s'accordaient avec ses cheveux.

— J'avais certaines choses à régler, expliqua Kyla.

— Et alors, elles le sont? questionna la fillette.

— Pour l'essentiel, oui, acquiesça Kyla, surprise la première par sa réponse.

— Parfait. Je suis bien contente. Vous allez rester avec nous, alors ? Vous allez vous plaire, ici.

Kyla la serra dans ses bras, et la fillette plaqua un baiser sur sa joue.

— L'air se rafraîchit, intervint Marla. Il est temps que tu rentres, ma chérie.

Elysia s'écarta sans un mot. Kyla, toujours agenouillée, la regarda rejoindre Marla, qui lui prit la main pour l'entraîner à l'intérieur du château.

Roland aida la jeune femme à se redresser.

— Alors ? demanda-t-il. Toujours jalouse ?

Elle réalisa qu'il avait deviné ses pensées lorsqu'il avait été question, un peu plus tôt, de cette fameuse Elysia.

— Elle est adorable, répondit-elle.

La foule, pendant l'intermède avec la fillette, était demeurée parfaitement silencieuse. Mais un vieillard prit soudain la parole :

— Quand même, maugréa-t-il d'une voix ironique. Dire que notre seigneur, que nous avons connu tout petit et que nous avons élevé, ne daigne même pas nous présenter sa nouvelle épouse et qu'il…

— Tais-toi donc, vieux fou, le coupa une femme également âgée. Tu vois bien qu'il s'apprête à le faire.

— Ma chère, je vous présente Seena, fit Roland qui désignait la femme. Et le vieux ronchon, c'est bien sûr son mari, Madoc. Ils m'ont effectivement élevé. Je leur dois tout.

— Pouah ! Vous êtes trop aimable, répliqua Seena, rougissante.

— C'était un garnement insupportable, oui ! rectifia Madoc, qui s'était approché pour dévisager Kyla. Il me causait tellement de souci que j'ai bien failli mourir cent fois à cause de lui !

144

Une petite lueur, dans ses yeux, démentait la véhémence de ses propos.

Kyla hocha gravement la tête.

— Je peux imaginer combien vous avez souffert.

Madoc la détaillait toujours avec curiosité. Seena et lui avaient l'air de jumeaux : même taille, même regard brillant, mêmes cheveux argentés.

— Elle conviendra, annonça Madoc à la foule.

— Merci, rétorqua Roland. Je m'en doutais un peu.

Seena lança un clin d'œil à Kyla, avant de s'engouffrer dans le château avec son mari.

Roland expliqua aux autres qu'il était ravi d'être de retour chez lui, mais que pour commencer, il mourait de faim. Les femmes déclarèrent aussitôt qu'elles allaient préparer un festin en moins d'une heure.

Roland prit Kyla par la main, et les autres les suivirent à l'intérieur de la forteresse.

La grande salle du château, caverneuse avec son toit voûté, offrait trois cheminées et plusieurs rangées de tables et de bancs. Les domestiques s'affairèrent pour dresser le couvert, pendant qu'on commençait d'apporter du pain et du vin.

La table du maître était dressée devant la plus grande cheminée. Elysia y était déjà assise. Et Marla se tenait à côté d'elle.

— Elle est née aveugle, révéla Roland qui escortait Kyla vers la table. Marla se charge d'elle depuis la mort de sa mère.

— Elle est… différente, murmura Kyla, cherchant le mot juste.

Assise dos au feu, Elysia se tenait bien droite, les mains croisées devant elle, attendant que les autres s'installent.

— Elle est très sage, ajouta Kyla qui mourait d'envie de demander : « C'est votre fille ? »

Mais elle n'osa pas.

Ce n'était pas seulement la ressemblance de leurs traits qui la troublait. Les attitudes de la fillette évoquaient terriblement celles de Roland. Or, étant aveugle, elle ne pouvait pas l'imiter, même inconsciemment. Et ce sourire qui éclairait à présent ses lèvres, alors que Roland s'approchait !

— Avez-vous grandi, mon oncle, pendant que vous étiez parti ? s'enquit-elle.

Ah, songea Kyla, avant de se demander comment la fillette avait pu savoir que Roland était près d'elle.

— Non, répondit celui-ci. Je n'arriverai jamais à rattraper Harrick.

— Ne renoncez pas, lui dit Elysia. Moi, j'ai grandi, ajouta-t-elle fièrement.

Roland plaça Kyla près de la fillette, et lui-même s'installa à côté de la jeune femme.

— Je m'en suis aperçu tout de suite en te voyant. Si tu continues, tu nous dépasseras tous d'une tête !

Elysia s'esclaffa, puis elle tourna ses grands yeux vides vers Kyla :

— Aimez-vous le gibier ?

— Le gibier ? répéta Kyla, qui se rappelait tout à coup la biche croisée sur le chemin. Non, pas vraiment.

— Tant mieux ! s'exclama Elysia en tapant dans ses mains.

Roland se pencha vers Kyla :

— Nous ne mangeons pas de gibier, ici, expliqua-t-il, une note de consternation dans la voix.

Kyla hocha la tête. Mais elle avait le sentiment de ne pas encore avoir très bien compris le mode de vie qui prévalait sur l'île.

— Et le poisson, vous aimez le poisson ? interrogea Elysia.

— Eh bien… fit Kyla, qui ne savait pas quoi répondre.

— Nous mangeons du poisson, précisa Elysia, que cela semblait chagriner.

— Et aussi du poulet, ajouta Roland.

— Oui, confirma la fillette avec un soupir.

— Il est strictement interdit de fréquenter le poulailler, lui rappela Roland.

— Je n'y vais jamais, le rassura Elysia avec un autre soupir à fendre l'âme.

— Il y a quelques années, nous avons introduit un couple de cerfs dans l'île, avec l'espoir qu'ils se reproduiraient et nous fourniraient du gibier, expliqua Roland. Mais les enfants les ont apprivoisés, leur ont donné des noms, et il n'a plus été question de les manger.

— Mais ils ont fait des enfants ! s'exclama fièrement Elysia. Katherine, Francis, Jasper, Hannah, Belle…

— Inutile de tous les citer, Elysia, la coupa Roland.

— J'ai vu une biche, en arrivant au château, intervint Kyla.

— C'est vrai ? fit Elysia. À quoi ressemblait-elle ?

— Elle avait une robe tirant sur le roux. Avec de grands yeux et un museau allongé.

— Petite, ou grande ?

— Je dirais de taille moyenne.

147

— Elle avait des taches sur sa robe?

— Oui, des taches blanches, autant que je me souvienne.

— Alors, c'était Eleanor.

Kyla revoyait la biche brouter en bordure du chemin.

— Eleanor, répéta-t-elle, un peu surprise de se plier aussi facilement à cette étrange pratique.

Elle n'avait encore jamais entendu parler d'animaux sauvages portant des noms de baptême.

— C'est ma préférée, confia Elysia.

Le dîner fut servi. Œufs à la coque, poisson grillé, légumes frais cuisinés de diverses façons, fromage... la chère était abondante, et excellente. Le vin coulait librement. Il y avait même du sel à foison, dans des petites coupelles en argent, et pareil étalage aurait fait figure de luxe à Rosemead. Mais, bien sûr, Rosemead n'avait pas la mer à ses portes.

Le bruit, dans la salle, empêchait les conversations à voix basse. Kyla laissa son regard errer de table en table. Les hommes de Roland, leurs familles, les domestiques du château : tous partageaient le même repas. La jeune femme était consciente de s'attirer des regards en coin, et elle devinait que l'on discutait d'elle – la nouvelle venue.

Roland lui avait assuré qu'elle serait plus en sécurité ici qu'à Rosemead, et sans doute avait-il raison. Du moins pour le moment. Quoique Lorlreau ait déjà su la séduire par son aura un peu mystérieuse, elle savait qu'elle n'oublierait jamais Rosemead. Pas plus qu'elle n'oublierait sa famille.

Elle était ainsi perdue dans ses pensées quand Roland se leva de son siège et brandit son verre bien haut, pour réclamer l'attention de l'assistance.

— Je bois à Lorlreau, dit-il. Le dernier endroit où il fait bon vivre sur cette terre.

La salle approuva bruyamment, mais Roland n'en avait pas terminé :

— Et je bois à mon épouse, enchaîna-t-il, tournant vers Kyla un regard indéchiffrable. Puisse-t-elle ajouter à la douceur de cet endroit.

L'assistance approuva derechef, avec un tel enthousiasme que Kyla sentit ses joues s'enflammer.

Roland lui décocha un sourire ravageur et vida sa coupe. La foule salua son geste par une nouvelle acclamation.

Elysia attira l'attention de Kyla en lui tapotant l'épaule. La jeune femme pencha la tête, portant son oreille à hauteur des lèvres de la fillette.

— Il vous aime beaucoup, murmura celle-ci. Je le sens.

Des rires s'entendaient derrière la cheminée.

Kyla fronça les sourcils, se demandant si elle n'avait pas rêvé. La journée avait été longue, et bien que le soleil vînt tout juste de s'abîmer derrière les flots, la jeune femme, pour un peu, se serait endormie debout. Il y avait d'abord eu cette traversée mouvementée, puis l'accueil des gens de Roland, sa rencontre avec Harrick, Elysia, Madoc et les autres, le banquet dans la grande salle… Morte d'épuisement, Kyla avait dû rassembler ses dernières forces pour suivre la servante chargée de lui montrer sa chambre.

Roland lui avait souhaité bonne nuit, retrouvant brusquement son ton réservé des jours précédents. Mais Kyla était trop fatiguée pour s'en formaliser. Tout ce qu'elle désirait, c'était s'enrouler dans des couvertures, fermer les yeux et s'abandonner au sommeil.

Elle s'apprêtait à ôter ses chaussures quand le bruit se répéta. Il provenait toujours de derrière la cheminée. Et c'était définitivement un rire. Suivi d'un autre bruit, assourdi.

Kyla crut d'abord à une sorte d'illusion acoustique. Dans un château aussi grand, avec de telles murailles de pierre, le phénomène n'aurait pas été surprenant. Mais non : plus elle tendait l'oreille, plus elle était certaine que cela provenait de l'intérieur de la paroi.

La jeune femme s'approcha de la cheminée, intriguée. Un lambris en bois sculpté recouvrait les pierres du mur. Kyla passa la main dessus, sans savoir ce qu'elle cherchait au juste, mais les planches du lambris étaient parfaitement ajustées, ne laissant aucun interstice entre elles. Tout en haut courait une frise de feuilles de chêne et de glands, qui faisait le tour de la pièce.

Sur la gauche se dressait une armoire magnifique, qui montait presque jusqu'au plafond.

Le rire se fit de nouveau entendre, mais moins fort, avec des bruits de voix. Puis, au bout de quelques minutes, ce fut le silence.

Kyla haussa les épaules. Elle était trop épuisée pour réfléchir à ce mystère. Du reste, elle n'était plus à une étrangeté près. En fait, ces bruits caverneux s'accordaient parfaitement à tout ce qu'elle avait pu découvrir, jusqu'ici, de Lorlreau – un mélange surprenant de charme et d'inattendu. Le mieux, dans l'immédiat, était donc de se mettre au lit.

Son coffre à vêtements avait été déposé dans un coin, et les lanières de cuir qui le fermaient étaient dénouées. Kyla crut à la gentille attention d'une soubrette mais, s'approchant du sac, elle constata que son contenu était sens dessus dessous. Or, elle se souvenait d'avoir plié elle-même ses vêtements avant de quitter Londres. Quelqu'un avait fouillé dans le coffre ! Ce ne pouvait pas être une servante, mais plutôt quelqu'un qui ne se souciait pas que Kyla découvre qu'on avait dérangé ses affaires.

La jeune femme en eut des frissons. Pourquoi lui faire cela ? Et qui ? Pourquoi fouiller dans ses robes, alors qu'elles n'avaient rien d'extraordinaire et ne cachaient aucun trésor ?

Elle s'agenouilla devant le coffre pour s'assurer que rien n'avait disparu. Le compte y était, en effet – pour autant qu'elle pouvait se souvenir du nombre exact de robes.

Donc, on n'en voulait pas à ses toilettes. Mais alors, à quoi ?

Elle ne possédait rien d'autre. D'ailleurs, ces robes et ce coffre ne lui appartenaient pas. Les robes avaient été offertes par lady Élisabeth. Et le coffre, fourni par Roland. Les effets personnels de Kyla étaient, pour la plupart, restés à Rosemead depuis sa fuite avec son père et Alister.

Les sous-vêtements ne manquaient pas davantage à l'appel. Rien n'avait été volé. Cette histoire n'avait décidément aucun sens.

Kyla n'avait pas le courage de remettre de l'ordre ce soir. Elle se saisit d'une chemise de nuit, au hasard, puis rabattit le couvercle du coffre et se releva. Mieux valait attendre le lendemain pour tirer l'affaire au clair. Après tout, ce désordre était peut-être l'œuvre d'une servante. De toute façon, elle était trop fatiguée pour réfléchir à une autre hypothèse.

Le lit était moelleux. Les couvertures chaudes. Elle sombra rapidement dans le sommeil.

Plus tard, beaucoup plus tard, elle perçut, comme en rêve, une autre présence dans la chambre – et même dans son lit. Mais plutôt que de s'alarmer de sentir un corps se lover contre le sien, elle trouva ce contact délicieusement réconfortant. Et quand les bras de son compagnon l'enlacèrent pour la serrer plus fort, elle s'abandonna à son rêve, un sourire aux lèvres.

9

Kyla se réveilla le lendemain matin, toute seule au milieu d'un grand lit, dans une chambre qui ne lui était pas familière.

Encore ce dernier détail n'était-il pas très important : ces derniers mois, elle n'avait guère eu l'occasion de se familiariser avec des chambres, tant elle avait connu de lits différents. Mais il y avait cette fois quelque chose...

Lorlmar. Elle se souvint tout à coup qu'elle se trouvait à Lorlmar. Et elle était ici parce qu'elle était devenue la nouvelle comtesse de Lorlreau...

Kyla sursauta en découvrant sept petits visages qui l'observaient depuis le pied du lit.

Elle se redressa et tira les couvertures jusque sous son menton, avant de réaliser le ridicule de son geste. Ce n'étaient que des enfants. Quatre garçons et trois fillettes, dont l'une au regard fixe.

— Elle est réveillée, devina Elysia, qui tenait à en informer les autres.

Et, tendant la main, elle toucha la cheville de Kyla.

Les autres enfants restèrent muets.

La chambre était claire et spacieuse. Kyla ne s'en était pas aperçue hier soir, mais elle pouvait juger à présent de la richesse de son ameublement. Comme une chambre de maître. La jeune femme en déduisit que c'était la chambre de Roland. Et donc qu'elle n'avait pas rêvé cette nuit : elle avait bien dormi dans les bras de son mari.

Les enfants suivaient son regard tandis qu'elle balayait des yeux le décor de la chambre : les lourdes tentures encadrant la fenêtre, les tapisseries aux murs, les coquillages, toutes sortes d'objets artisanaux qui ornaient les étagères... Finalement, elle reporta son attention sur les enfants toujours alignés au pied du lit.

— Bonjour ! leur lança-t-elle joyeusement.

— Bonjour, répondit poliment l'un des garçons.

Kyla s'assit bien droit dans le lit.

— Est-ce vous que j'ai entendus, hier soir ?

Elle sut avoir deviné juste en les voyant échanger des regards penauds.

— Je te l'avais bien dit, que tu parlais trop fort ! jeta l'une des fillettes à sa voisine.

— Ce n'était pas moi ! se récria celle-ci, une gamine d'environ sept ans aux cheveux bruns. C'était Ainsley !

— Non ! protesta le garçon ainsi accusé. C'était Matilda !

— Du calme ! intervint Kyla avec un sourire. Peu importe de savoir qui parlait trop fort. Je suis bien contente, en tout cas, que ce ne soit pas des fantômes venus m'attraper.

Elysia éclata de rire à cette idée.

— De toute façon, si nous avions voulu, nous n'aurions pas pu. Mon oncle a disposé exprès la grande armoire pour bloquer le passage qui donne dans sa chambre.

Kyla jeta un coup d'œil à l'imposante armoire. Puis elle se souvint du désordre de son coffre à vêtements.

— En vous amusant, commença-t-elle, choisissant prudemment ses mots, quelqu'un d'entre vous ne serait-il pas entré dans ma chambre ?

— Oh non, assura Elysia en secouant la tête. Nous ne serions jamais entrés sans la permission de mon oncle. La règle est très stricte.

Kyla n'avait aucune raison de ne pas croire la fillette. Et les autres affichaient un même air de sincérité. Ce n'était donc pas eux. Restait l'hypothèse de la soubrette.

— Tout le monde, dans ce château, est-il au courant de l'existence de passages entre les pièces ?

— Bien sûr, répondit l'un des garçons. Et tout le monde s'en sert.

Elysia essayait de grimper sur le lit.

— C'est souvent plus rapide que d'emprunter les escaliers et les couloirs ordinaires, dit-elle, avant de retomber par terre malgré ses efforts.

Kyla se pencha pour l'aider. Les autres enfants interprétèrent son geste comme un signal qui les autorisait à grimper eux aussi.

— Demande-lui maintenant, fit la fillette aux cheveux bruns à l'intention d'Elysia.

— Oui, maintenant, renchérit un garçon.

— Tante Kyla, commença Elysia, qui sans le savoir procura un nouveau choc à la jeune femme avec cette appellation familière. Aimeriez-vous rencontrer les cerfs, aujourd'hui ?

La lumière du soleil donnait à la chambre un air de légèreté. Et Kyla avait l'impression d'entendre l'océan à travers la fenêtre, pourtant fermée.

— Mon oncle a déjà pris son petit déjeuner et il est sorti, ajouta Elysia. Mais il nous a demandé de vous dire, à votre réveil, qu'il y avait quelque chose de préparé pour vous, et que vous pouviez le faire monter dans la chambre si vous le désiriez.

— Je crois que nous allons plutôt tous descendre, répondit Kyla avec un sourire.

Elle était un peu stupéfaite de constater qu'aucun adulte ne s'occupait de ces enfants. Ils semblaient se déplacer à l'intérieur du château – y compris en traversant les murs – avec une totale liberté.

Et Roland était donc sorti, la laissant seule. Son sort serait-il celui de ces enfants ? Se retrouverait-elle livrée à elle-même sur cette île qui était censée être sa nouvelle demeure ? Son mariage se résumerait-il à quelques rencontres occasionnelles entre deux parfaits étrangers vaquant chacun à ses occupations ? Charmante perspective !

Mais peut-être laissait-elle son imagination l'emporter. Il était un peu tôt pour tirer ce genre de conclusions.

— Oh ! C'est à vous ? s'exclama l'une des fillettes.

Elle tenait la dague d'Hélaine dans sa main et les rayons du soleil faisaient étinceler les pierreries du manche.

— Oui, c'est à moi, répliqua Kyla, récupérant la dague.

Roland l'avait cachée quelque part, ces derniers jours, car il ne la portait plus à la ceinture comme lors du voyage jusqu'à Londres. Kyla en avait été soulagée : elle avait souvent pensé que cette façon de l'arborer était un moyen de lui rappeler qu'elle avait perdu et qu'il avait gagné. Mais elle ne s'attendait pas à la voir resurgir ainsi.

— C'était là, déclara la fillette, pointant une petite table en pin, près du lit.

Kyla hocha distraitement la tête. Elle caressait le manche de la dague.

— Méfiez-vous de la lame, tante Kyla, intervint Elysia, toujours allongée sur les couvertures. Elle m'a l'air très affûtée.

Après avoir renvoyé les garçons dans le couloir, Kyla s'habilla rapidement, sous l'œil curieux des fillettes, jusqu'à ce qu'une soubrette surgisse de nulle part et insiste pour la coiffer. Kyla accepta volontiers.

Le coffre à vêtements était grand ouvert, mais elle n'avait pas eu le temps de replier ses robes. En remarquant le désordre, la servante eut un sursaut et jeta à Kyla un regard de réprobation. La jeune femme en conclut que cette fille s'imaginait que c'était elle qui traitait ses belles toilettes avec désinvolture.

Ce n'était donc pas cette soubrette qui avait fouillé dans son coffre. Mais sans doute une autre. Un château de cette taille devait employer plus d'une dizaine de chambrières.

Les fillettes observèrent avec intérêt comment la servante donnait du volume et des formes à la masse flamboyante des cheveux de Kyla.

Cette dernière n'était plus habituée à être coiffée de la sorte. Elle avait l'impression de renouer avec le style de vie qui avait été autrefois le sien, et ce n'était pas désagréable. Elle remercia la chambrière avec chaleur, et celle-ci, après une révérence, s'éclipsa avec autant de discrétion qu'elle était arrivée.

Matilda tendit ensuite un miroir, dans lequel Kyla se reconnut à peine. Mais sa belle robe et sa coiffure sophistiquée lui donnaient très certainement l'allure d'une comtesse, et c'était l'essentiel. De toute façon, Kyla n'eut pas le temps de s'appesantir sur sa nouvelle image : Matilda lui enleva la glace et les autres fillettes la poussèrent vers la porte.

Les garçons attendaient sagement dans le couloir. Toute la petite troupe escorta Kyla jusqu'aux cuisines. En chemin, ils croisèrent plusieurs adultes qui saluèrent respectueusement la jeune femme. Aucun d'eux ne parut surpris que leur comtesse soit entourée d'un aréopage d'enfants.

Du reste, Kyla se félicitait de leur présence. Aurait-elle pu trouver seule les cuisines ? Probablement pas. Lorlmar semblait encore plus immense, de l'intérieur, qu'on ne le jugeait à ses façades.

Finalement, après avoir emprunté un dédale de couloirs, la petite troupe atteignit les cuisines, où Seena les accueillit comme si elle les attendait. Elle les fit s'installer à la table, veilla à ce qu'on leur serve à tous un bol de porridge, puis elle s'assit à côté de Kyla.

— J'adore bricoler en cuisine, quand la cuisinière m'y autorise, dit-elle. Ce qui n'est pas souvent le cas. Mais Roland a un penchant pour ma recette de porridge. Vous le saviez ?

Kyla l'ignorait, bien sûr. Et elle ne savait pas bien quoi faire de cette information capitale. Heureusement, Elysia la tira d'embarras :

— Oncle est parti à Taldon, annonça-t-elle. Taldon est l'une des deux autres îles.

Kyla hocha la tête.

— Il y a trois îles en tout, n'est-ce pas ?

158

— Oui, confirma Seena. Lorlreau, Taldon et Forswall. Vous aurez bientôt l'occasion de les visiter, j'imagine.

— Lorlreau est la plus belle, décréta l'une des fillettes, déclenchant aussitôt un débat animé entre les enfants pour déterminer laquelle des trois îles était la plus magnifique, et pourquoi.

Kyla goûta du bout des lèvres son porridge. C'était chaud, crémeux et délicieux. Finalement, elle se découvrait au moins un point commun avec son mari : un goût prononcé pour le porridge de Seena ! Et elle s'aperçut qu'elle mourait de faim. C'était la première fois qu'elle mangeait de si bon appétit depuis qu'elle avait quitté Londres.

— Quelle est cette bonne odeur, qui venait flatter mes narines jusque dans mon bureau ? demanda une voix depuis la porte.

— Oncle Harrick ! s'exclama Elysia. Viens manger avec nous !

— Comment pourrais-je résister à une aussi charmante invitation ?

Harrick se servit puis se glissa sur le banc, entre deux enfants qui s'écartèrent pour lui faire de la place, sans s'arrêter de manger.

— J'ai cru comprendre que vous alliez voir les cerfs, aujourd'hui ?

Kyla leva les yeux de son bol en comprenant que la question s'adressait à elle.

— Oui, j'ai cru comprendre également, répondit-elle.

— Eleanor sera là, assura Elysia.

Kyla surprit le regard qu'échangèrent furtivement Seena et Harrick.

— Tu en es sûre ? s'enquit Seena.

— Oui ! Elle est impatiente de rencontrer ma nouvelle tante.

— Bien entendu, acquiesça Harrick.

Et, souriant à Kyla :

— Vous voyez, milady, à Lorlreau, même les animaux sont ravis de vous accueillir.

— Oh, Eleanor a déjà vu Kyla, rectifia Elysia. Mais elle veut lui être présentée dans les formes.

Kyla n'était pas certaine de bien suivre la conversation.

— Nous parlons bien... de la biche ?

— Oui, Eleanor, la biche, fit Elysia du ton de la plus parfaite évidence.

Seena se leva brusquement de table, prenant avec elle le bol vide de Kyla et celui d'un des garçons, pour les poser près de l'évier.

Harrick semblait troublé, lui aussi, mais il ne dit rien, et ce moment de flottement fut vite balayé par le babillage des enfants : ils s'ingénièrent à le persuader que sa présence était indispensable. De guerre lasse, Harrick finit par concéder que non, il n'avait rien de plus important à faire ce matin que de rendre visite aux cerfs, et donc qu'il acceptait d'accompagner la petite troupe. Puis on s'avisa qu'ils mettraient peut-être plus de temps que prévu à localiser les bêtes, que de la matinée on glisserait au début d'après-midi, et que tout le monde aurait de nouveau faim. Seena se porta alors volontaire pour confectionner un pique-nique, si bien que la promenade d'agrément initialement projetée se transforma en véritable expédition.

Leur petit déjeuner achevé, les enfants se volatilisèrent, prétextant qu'ils devaient se préparer. Harrick était parti un peu plus tôt, pour terminer certaines tâches, avait-il expliqué. Et Seena avait elle aussi momentanément disparu. Kyla se retrouva donc seule dans les cuisines.

Apercevant une silhouette qui passait devant la porte qui ouvrait sur l'extérieur, elle se précipita, pensant que c'était Seena. Mais quand elle ouvrit la porte, elle ne vit personne. Elle contempla quelques instants le paysage, puis referma le battant. Entre-temps, deux servantes étaient entrées par l'autre porte pour apporter des vivres dans la cuisine, et parlaient entre elles à voix basse. Elles s'interrompirent pour regarder Kyla.

La jeune femme leur sourit, mais son sourire demeura sans écho. Les deux servantes se contentèrent de la saluer poliment, et lui tournèrent le dos.

— Pouvez-vous me dire… commença Kyla, avant de suspendre sa question.

Lui dire quoi ? Ce qu'elle était supposée faire ?

Les deux servantes ne s'étaient même pas retournées. Kyla redressa le menton.

— Non, rien, marmonna-t-elle.

Et elle sortit, affichant une assurance qu'elle était loin d'éprouver.

Par où aller ? Elle désirait regagner sa chambre, mais n'était pas certaine du chemin à emprunter. Contrairement à Rosemead, où toutes les pièces étaient soit lambrissées, soit plâtrées et peintes de couleurs chaudes, la plupart des murs ici étaient en pierres sèches, comme la structure d'ensemble du château. C'était plus naturel, mais aussi plus glacial : lorsque le vent soufflait, il s'introduisait à travers les pierres jusqu'au cœur de la bâtisse.

Elle croisa de nouveau plusieurs personnes, qui toutes la saluèrent poliment, lui jetant parfois au passage des regards curieux. Mais personne ne lui adressa la parole, ni ne songea à lui demander où elle se rendait et si, par hasard, elle n'était pas perdue.

Au bout d'un quart d'heure de déambulations, Kyla commença à s'inquiéter : elle n'avait pas le souvenir d'avoir mis autant de temps pour rejoindre les cuisines depuis sa chambre. Et cela faisait un moment qu'elle n'avait plus croisé quiconque. Finalement elle s'arrêta, dans l'espoir de se repérer. Mais c'était impossible : tous les couloirs se ressemblaient. Interminables, aveugles, éclairés seulement par quelques torches accrochées aux murs de loin en loin.

Tout à coup, Rosemead lui manqua terriblement. C'était une demeure totalement différente, ouverte sur l'extérieur. Même les couloirs étaient pourvus de grandes fenêtres donnant sur les collines environnantes. Et les domestiques qui y travaillaient étaient comme des membres de sa famille.

Elle s'adossa au mur et ferma les yeux, pour se reprendre.

En fait, elle était encore fatiguée de son voyage. Elle avait besoin d'une bonne sieste, voilà tout.

Un bruit de pas se fit soudain entendre, à quelque distance. Kyla aurait dû se réjouir de savoir qu'elle n'était plus seule. Elle pourrait enfin avouer qu'elle s'était perdue – et au diable sa fierté. Pourtant, inexplicablement, elle se mit à frissonner.

Quelqu'un approchait, c'était maintenant certain. D'un pas mesuré, presque étouffé, comme si cette personne ne souhaitait pas être entendue. Et Kyla qui se retrouvait toute seule, au milieu d'une bâtisse qu'elle ne connaissait pas !

Instinctivement, elle essaya la poignée de la porte la plus proche. Elle était verrouillée.

Les pas s'étaient interrompus. Kyla ne percevait plus que sa propre respiration, oppressée, anormalement forte à ses oreilles. Ses doigts restaient accrochés à la lourde poignée métallique de la porte.

Les secondes passèrent. Interminables. Le silence était angoissant.

Kyla voulut se convaincre qu'elle avait rêvé. Qu'elle n'avait rien entendu. Son imagination…

Mais brusquement, elle perçut la respiration de l'autre personne. Celle-ci s'était immobilisée et semblait attendre, avant de reprendre sa progression, que Kyla fasse un autre mouvement pour couvrir le bruit de ses pas. Comme un chat qui guetterait une souris. Kyla sentit la panique la gagner. Quel jeu cruel ! Et macabre ! Qui pourrait avoir envie de s'amuser ainsi à ses dépens ?

Regardant autour d'elle, elle chercha désespérément une issue.

Un autre couloir s'ouvrait un peu plus loin, sur la droite.

Les pas avaient repris. Des pas lourds qui s'approchaient, comme si son poursuivant, à présent, ne se souciait plus d'être entendu.

Kyla reprit sa course et bifurqua à droite, dans le second couloir, sans un regard en arrière.

Elle se retrouva à nouveau confrontée à une enfilade de portes, toutes fermées. Mais elle aperçut, à l'extrémité du couloir, des femmes arrivant dans sa direction. Elle ralentit l'allure à leur approche et, faisant mine de se recoiffer, jeta un coup d'œil par-dessus son épaule.

Le couloir, derrière elle, était à moitié mangé par la pénombre. Mais il était désert.

Le ciel au-dessus de Lorlreau était d'un bleu vibrant qui émerveillait Kyla. Et les quelques nuages noirs qui pointaient, très loin à l'horizon, ne semblaient nullement impressionner la petite troupe qui partait à la recherche des cerfs.

Kyla avait été raccompagnée jusqu'à sa chambre par la même soubrette qui l'avait coiffée. Une fille aimable, appelée Meg, qui s'était spontanément offerte pour la guider lorsqu'elle l'avait croisée dans le couloir.

La jeune femme voulait se persuader qu'elle avait cédé à une peur injustifiée en s'imaginant être poursuivie. Il n'y avait aucune raison pour que quelqu'un cherche à l'effrayer. Probablement avait-elle entendu des rats courir derrière les murs. Tous les châteaux étaient infestés de rats.

Quoi qu'il en soit, elle avait été soulagée de tomber sur Meg. La soubrette était venue la chercher un peu plus tard, afin de l'escorter dans la cour où les autres l'attendaient.

Kyla songea un moment à narrer sa mésaventure à quelqu'un – peut-être Harrick – avant de se raviser. Mieux valait oublier cet incident. Tout le monde autour d'elle était souriant. Et le ciel était si bleu !

En plus des enfants et de Harrick, Marla et quelques femmes s'étaient jointes à l'expédition.

On partit à pied : comme l'expliqua Joseph, l'un des deux garçons que Kyla avait rencontrés à son réveil, il était préférable de marcher car les cerfs et les biches n'aimaient pas forcément les chevaux. Et, ajouta Joseph, il aurait été impoli de les offenser dans leur propre territoire, n'est-ce pas ?

Kyla répondit qu'il était toujours préférable de se montrer poli. Cela parut satisfaire Joseph, qui entreprit alors de lui désigner les aspects les plus remarquables des paysages qu'ils traversaient. Là, sous cette pierre, il avait déniché le plus gros insecte qu'il ait jamais vu ; ici, dans le trou de ce tronc d'arbre, il avait trouvé une nichée de bébés chouettes, tous devenus adultes depuis ; là-bas, derrière ce groupe d'arbres, il y avait une prairie dans laquelle une famille de lapins avait établi son terrier ; et là-bas encore…

La petite troupe s'étirait en file indienne. Harrick ouvrait la marche, et Marla tenait la main d'Elysia.

Le pique-nique eut lieu dans la prairie de la famille lapin : l'herbe y était moelleuse. Le murmure de l'océan, quoique très atténué, parvenait jusqu'à leurs oreilles et apportait une note apaisante.

Ils mangèrent en silence, ou presque. Même les enfants étaient assez détendus pour se contenter d'admirer le ciel ou les brins d'herbe.

L'estomac plein, Kyla sentit qu'elle s'assoupissait sous les rayons du soleil. Elle brûlait d'envie de s'allonger et de fermer les yeux, et cette idée la fit sourire. Une lady digne de ce nom ne songerait pas une minute à se vautrer dans l'herbe. Une lady digne de ce nom n'irait jamais pique-niquer sans une ombrelle et plusieurs chaperons. Du reste, une lady digne de ce nom n'aurait pas participé à cette bizarre expédition. Une vraie comtesse serait restée au château, à coudre ou à superviser l'agencement de la maisonnée. Occupations qui échappaient totalement à Kyla.

Elle repensait à ces temps, pas si lointains, où elle s'endormait là où elle se couchait : à l'abri d'un buisson, derrière un rocher… La terre lui avait servi de matelas durant de longues semaines, et les étoiles de ciel de lit. Les cris des animaux l'avaient bercée, ou au contraire réveillée en sursaut.

Comme c'était étrange! Elle n'aurait jamais imaginé regretter cette période de sa vie, dominée par l'angoisse et le chagrin. Et cependant, elle en éprouvait une certaine nostalgie.

Combien de comtesses, dans toute l'Angleterre, pourraient se prévaloir de ce dont elle avait pu profiter pendant cette période – c'est-à-dire la liberté? Oh, certes, cela avait été bref : elle avait eu juste le temps d'y goûter. Mais qu'il était agréable de n'avoir personne pour lui dire où aller, quoi faire, comment se comporter…

Hélas, cette liberté avait eu un prix. Kyla ne pouvait pas se féliciter que son existence ait basculé dans l'horreur. Si tout s'était passé normalement, elle aurait épousé lord Strathmore en grande pompe, dans la cathédrale où le roi lui-même écoutait la messe. Elle serait pareillement devenue la comtesse de Lorlreau, mais de manière beaucoup plus conventionnelle. Ses parents auraient assisté à la cérémonie, sa mère souriant entre ses larmes, son père se rengorgeant de fierté. Et Alister aurait paradé dans son costume de fête. Tout cela aurait été charmant.

Kyla se secoua, pour chasser cette vision. Le sort en avait décidé autrement. La folie des hommes, la violence, la brutalité l'avaient emporté.

Et cependant, malgré tout le sang versé, elle se retrouvait dans cette prairie magnifique. Sur les terres du comte de Lorlreau, ce fiancé qu'elle avait quand même épousé, bien qu'il fût devenu responsable, entre-temps, de la mort de ses proches.

La jeune femme repéra une colonne de fourmis qui se faufilaient dans les herbes – une jungle, pour elles – après avoir récupéré de minuscules miettes de pain glanées dans les reliefs du pique-nique. Kyla aurait adoré qu'Alister soit là, afin de partager avec lui ce moment de fascination pour un monde en miniature.

Un jour, peut-être, elle aurait un fils ou une fille avec qui savourer ce genre de plaisir. Peut-être. Pour l'instant, elle n'arrivait pas vraiment à se projeter dans l'avenir. Mais il n'était pas impossible qu'elle se réconcilie avec sa nouvelle existence, au point de vouloir fonder une famille. Avec son mari.

Roland regardait, sans bouger, la troupe se remettre en ordre de marche. Il se sentait bien, là, adossé au tronc d'un sapin, à contempler du coin de l'œil lady Kyla – une vision enchanteresse.

Son rendez-vous avec le régisseur de Taldon l'avait mis de bonne humeur. La prochaine récolte s'annonçait sous les meilleurs auspices, la pêche était régulièrement fructueuse, le bétail se portait bien et aucun toit n'avait été emporté par la dernière tempête. En d'autres termes, tout se déroulait à merveille. Du coup, Roland avait passé le reste de sa visite à saluer chaque famille, s'enquérant du nom des nouveau-nés qui s'étaient ajoutés à la population de l'île durant son absence. Il ne dédaignait jamais ces tournées qui lui rappelaient à quel point il aimait vivre dans l'archipel. Et combien il était heureux d'être enfin de retour – cette fois, avec une femme.

Tout le monde l'avait d'ailleurs interrogé à ce sujet. Les habitants de Taldon sortaient rarement de chez eux, ne se rendant sur l'île principale que lorsqu'ils en avaient besoin. Aussi n'avaient-ils pas encore vu Kyla.

Roland avait répondu patiemment à leurs questions, malgré son désir de regagner rapidement Lorlreau. Il était au courant du projet d'expédition pour présenter Kyla aux cerfs, mais surtout un gros travail l'attendait. Après presque un an d'absence, les questions d'intendance réclamant son arbitrage s'étaient accumulées, au point de constituer une liste impressionnante.

Et cependant il était là, contemplant Kyla. Sa femme.

Elle était différente d'hier, quand elle s'accrochait au bastingage du bateau, les cheveux ébouriffés par le vent. Malgré son aversion visible pour les traversées, elle avait tenu bon, restant digne face à la tempête, et Roland avait admiré une fois de plus son courage.

Aujourd'hui, une chambrière lui avait de toute évidence prodigué ses services, domestiquant sa chevelure avec une sophistication artistique. Le résultat n'était pas désagréable, mais Roland regrettait son état naturel. Il n'était pas près d'oublier le spectacle de Kyla chevauchant à côté de lui, ses longues boucles flottant au vent.

À présent, sa ravissante nymphe des bois avait toutes les apparences d'une authentique lady. Mais quelle était sa vraie nature ?

Roland abandonna son sapin pour rejoindre les autres.

— Milord, l'interpella Kyla, l'air préoccupé.

Mais finalement elle se tut, et lui fit la révérence. Une révérence, au milieu de cette prairie perdue dans les bois !

Il fut bien obligé de lui rendre la pareille, s'inclinant très généreusement, ce qui provoqua l'hilarité des enfants et fit monter le rouge aux joues de sa nouvelle comtesse.

— Avez-vous bien dormi ? lui demanda-t-il alors que la petite troupe se remettait en marche.

— Je... euh, très bien, merci, répondit-elle sans croiser son regard. Et vous ?

— Très bien également.

C'était un gros mensonge. En réalité, Roland n'était même pas certain d'avoir réussi à fermer l'œil. Car, en dépit de sa résolution de ne pas la harceler, et de la laisser venir à lui quand elle se sentirait prête, il était monté après le dîner dans sa chambre, désormais la leur, et avait trouvé la jeune femme profondément endormie, une main hors des couvertures. Bizarrement, c'était le spectacle de cette main, si délicatement féminine, qui l'avait le plus bouleversé.

Il n'était pas monté dans l'intention de s'attarder. Il voulait juste s'assurer qu'elle ne manquait de rien. Il irait dormir ailleurs. Il ne savait pas très bien où, probablement avec ses hommes, dans la grande salle. En tout cas, pas dans cette chambre.

Et cependant il s'était surpris à se déshabiller, avant de se glisser entre les draps, tout contre la jeune femme. Elle ne portait qu'une fine chemise de nuit en lin, qui était remontée sur ses cuisses. Aussi Roland pouvait-il sentir ses jambes nues frôler les siennes. La torture en était insupportable.

Il avait retenu son souffle, mais elle ne s'était pas réveillée, acceptant sans sourciller le bras qu'il avait passé autour de sa taille.

Il était resté ainsi de longues heures, jusqu'à ce que l'aube commence de nimber la chambre d'une lumière grisâtre, à serrer la jeune femme contre lui et à la désirer comme un fou.

Quand le premier rayon de soleil avait franchi la fenêtre, il s'était levé et était parti. Une chose était sûre : jamais il n'avait enduré une nuit aussi éprouvante…

La petite troupe pénétrait à présent dans le cœur de la forêt en suivant un chemin si étroit, serpentant entre les arbres, qu'il fallait marcher en file indienne. Roland s'était placé derrière Kyla, de façon à se repaître des courbes de sa silhouette qu'il devinait à travers la robe, et s'imaginant ce qu'elle portait dessous. De la lingerie fine, à n'en pas douter. Peut-être avec des rubans…

L'intérieur de la forêt était plus frais que sa lisière – à moins que ce ne fût la conséquence des quelques nuages qui voilaient le soleil. Quoi qu'il en soit, Kyla le sentait dans sa chair.

Plus personne ne parlait. Sans doute le silence et l'immobilité de la forêt décourageaient-ils les bavards. Ou alors, c'était parce qu'on approchait du repaire des cerfs. Kyla n'entendait que le bruit de leurs pas foulant les aiguilles de pin ou de vieilles feuilles mortes.

Et plus particulièrement, elle entendait les pas de Roland dans son dos.

Les autres, devant, avaient ralenti l'allure. Ils se regroupèrent à l'orée d'une petite clairière vallonnée, et lui firent signe d'approcher.

Le vallon était minuscule, mais très verdoyant. De hautes herbes, bien grasses, poussaient à l'abri des arbres. Kyla repéra trois bêtes allongées sous les ramures – un mâle et deux femelles. Un autre mâle se tenait un peu à l'écart, comme s'il montait la garde.

Elysia lui prit la main.

— Qui est-ce ? demanda-t-elle.

— Bancroft, Belle, Sammy et Eleanor, répondit Marla.

— Bonjour, Eleanor ! lança Elysia. Je viens te présenter quelqu'un.

Et elle entraîna Kyla avec elle.

Les deux mâles se raidirent à leur approche, mais l'une des femelles se releva gracieusement et avança vers elles. Elle était grande – sa tête dépassait les épaules de Kyla – et sa robe arborait les mêmes taches blanches dont se souvenait la jeune femme.

Elysia tendit sa petite main, et la biche y frotta ses naseaux. Puis la fillette tendit la main de Kyla pareillement. Les narines de la biche étaient froides et humides, mais leur contact n'était pas déplaisant. Du coin de l'œil, Kyla constata que Roland s'était également approché, et qu'il observait attentivement la scène.

La biche commença de lécher sa paume. Cela chatouillait. Kyla ne put retenir un sourire, et son regard accrocha celui de Roland.

Ses prunelles s'étaient obscurcies, à présent que le soleil était caché par les nuages. Et il ne souriait pas. Mais Kyla pouvait percevoir la tension qui l'animait. Il tendit à son tour la main pour caresser la biche, mais sans cesser de river son regard sur la jeune femme.

Kyla n'avait pas la force de détourner la tête. Elle était comme hypnotisée par le désir qu'elle sentait sourdre de Roland et qui rencontrait en elle un écho qu'elle était incapable de nier.

Le temps semblait suspendu. L'odeur enivrante de la forêt, la pluie d'orage qui s'annonçait... tout semblait ajouter à la magie du moment.

L'un des enfants bouscula légèrement Kyla en voulant s'approcher de l'autre biche. Cela suffit : le charme, soudain, était rompu.

Roland, les lèvres serrées, détourna les yeux.

La biche en avait terminé avec sa main et léchait maintenant la manche de Kyla.

— J'ai un cadeau pour toi, Eleanor, annonça Elysia d'une voix chantante.

Elle fouilla dans sa poche et en tira une pomme à la belle robe rouge. Eleanor s'y intéressa immédiatement.

Tous les enfants avaient apporté une pomme avec eux, qu'ils donnèrent aux animaux. Les adultes, pendant ce temps, contemplaient la scène. Harrick, au milieu de la troupe, ne paraissait pas se soucier des branches basses qui frôlaient son crâne.

Roland attrapa la main d'Elysia pour la conduire vers les autres animaux. Kyla en resta muette de saisissement. Le redoutable et redouté lord Strathmore, « l'Âme damnée du roi Henry », s'amusait innocemment avec des enfants et des biches. Ici, personne ne semblait le craindre. Les enfants le taquinaient. Les biches toléraient sa présence et se laissaient caresser. Elysia l'abreuvait de son babillage, auquel il riait volontiers, tendant lui-même des pommes aux animaux pour les régaler.

Tout le monde, sur cette île, l'aimait. Cela sautait aux yeux. Mais Kyla aurait dû se souvenir que, déjà en Angleterre, il suscitait l'entière adhésion de ses hommes. Se pouvait-il que ces gens ignorent sa vraie nature ? Pourtant, c'était bel et bien un assassin. Le bras armé du monarque, qui accomplissait ses basses œuvres sans le moindre état d'âme.

Mais alors, qui était cet homme devant elle, celui qui distribuait des pommes aux biches, faisait rire les enfants et s'attirait une admiration unanime ?

Tout à coup, Kyla se sentit gagnée par une colère irrationnelle. Ces gens se trompaient. Lord Strathmore ne méritait pas d'être aimé. Il n'inspirait que la peur. Pourquoi étaient-ils tous aveugles ? Pourquoi ne le haïssaient-ils pas ?

Kyla, pour sa part, avait de bonnes raisons de le détester. D'ailleurs, elle aurait dû le détester de tout son cœur. Et cependant sa colère retomba aussi soudainement qu'elle était apparue. La vérité, c'est qu'au fond d'elle-même, elle se sentait incapable de haïr cet homme. Peut-être parce qu'elle ne savait plus trop quoi penser à son sujet. Oui, c'était un assassin. Mais il avait su également la protéger. En apparence, le rôle du méchant lui convenait à merveille, mais en pratique c'était beaucoup moins simple.

Ce n'était pas tout. Une petite voix insidieuse chuchotait à Kyla ce qu'elle refusait de regarder en face, à savoir que même à supposer que Roland ait possédé le cœur le plus noir de toute la création, cela ne l'aurait pas empêchée de le désirer. Car elle le désirait ! De tout son corps...

Le ciel s'obscurcissait rapidement. La pluie paraissait inévitable. Le vent s'était levé, soulevant les jupes de Kyla.

— Sa mère s'appelait Eleanor, murmura une voix dans son dos.

Kyla se retourna. C'était Marla, qui venait à sa rencontre.

En dépit du caractère énigmatique de cette phrase, Kyla crut deviner sa signification :

— La mère d'Elysia s'appelait Eleanor, c'est bien cela ?

— Oui. C'était la sœur de votre mari. Et la demi-sœur de Harrick.

Cela expliquait beaucoup de choses, songea Kyla. Marla accrocha furtivement son regard, avant de reporter son attention sur les enfants. Kyla l'imita.

— C'est elle qui a donné son nom à cette biche ?

— Oui. Au début, cela nous a un peu inquiétés. La biche est très jeune, et Elysia ne s'était jamais préoccupée de baptiser les autres. Juste celle-ci. Cela s'est passé voici sept mois. Elysia a insisté pour tous nous entraîner ici et la baptiser devant nous. Elle a refusé toutes les autres propositions de noms.

La fillette était toujours avec Roland. Elle faisait la conversation, et il paraissait s'ingénier à lui répondre du mieux possible.

— Il est comme un frère, pour moi, révéla Marla. Vous comprenez, j'ai aidé Madoc et Seena à les élever tous les deux. Leur père était toujours très occupé, et encore plus après la mort de sa femme. Roland avait neuf ans quand c'est arrivé. Et Eleanor venait tout juste de fêter son premier anniversaire. Rachel, leur mère, fut emportée en quelques jours par une mauvaise fièvre.

Kyla fronça les sourcils.

— Et Harrick ? Où était-il ?

— Harrick est le fils naturel de l'ancien comte. Il fut d'abord élevé dans un monastère près de Londres. Il n'est venu sur l'île qu'il y a quelques années, et sur l'insistance de Roland. Ce ne devait être au début qu'une simple visite, mais finalement il est resté.

Harrick éclata soudain de rire. Un rire sonore, communicatif, qui fit se dresser l'oreille des cerfs.

— Vous avez devant vous les derniers fruits d'une noble lignée, reprit Marla d'une voix légère. Un comte, un bâtard et une fillette aveugle. Nous en étions à penser que la famille s'arrêterait là. Mais, ajouta-t-elle en tournant ses yeux bleus vers Kyla, vous allez changer tout cela.

— Qu'est-il arrivé à Eleanor ? s'entendit demander Kyla.

Pourtant, elle n'était pas certaine de vouloir connaître la réponse. Cette sœur absente, réincarnée dans une biche, représentait un mystère un peu angoissant.

Marla la regarda longuement, et Kyla devina qu'elle soupesait sa réponse.

— Elle est morte, lâcha-t-elle finalement, avec un haussement d'épaules.

Kyla eut l'impression d'avoir échoué à une épreuve. Marla s'éloigna, la laissant de nouveau seule.

Eleanor – la biche – regardait dans sa direction, bien qu'elle fût caressée par plusieurs des enfants. Ses yeux noirs semblaient d'une profondeur insondable, et Kyla eut nettement l'impression, même si elle savait que c'était impossible, que l'animal la regardait *vraiment,* qu'il lisait dans son âme.

Puis quelqu'un passa à son côté. L'animal tourna la tête et redevint une simple biche.

Kyla entendit la pluie avant même de sentir les premières gouttes. C'était comme un petit tambourinement, d'abord très léger, au sommet des arbres. Mais l'averse s'intensifia rapidement, mouillant tout le monde. Les enfants riaient et dansaient, tandis que les animaux faisaient retraite dans le bois pour se mettre à l'abri des feuillages les plus épais. Roland, Harrick et les femmes en firent autant avec les enfants.

Kyla était demeurée seule au milieu du vallon. Un éclair zébra le ciel, l'aveuglant presque. Elle ferma un instant les yeux, en même temps qu'éclatait un coup de tonnerre. La pluie l'avait déjà trempée. D'autres éclairs suivirent, accompagnés à chaque fois de coups de tonnerre retentissants. Kyla avait l'impression d'avoir été projetée au milieu d'un ouragan.

Quelqu'un lui prit le bras. À travers le rideau de pluie, elle constata qu'il s'agissait d'une femme. Elle la conduisait quelque part, mais Kyla ne voyait plus les autres. La pluie tombait si dru qu'elle ne distinguait même plus les arbres.

La femme l'obligea à courir. C'était Marla. Si Marla était avec elle, où était Elysia ? Kyla se rappelait avoir vu, en dernier, la fillette avec Roland. Probablement était-elle en sécurité. De toute façon, Marla n'aurait pas abandonné Elysia à son sort, Kyla en était convaincue.

Les deux femmes couraient à présent côte à côte, se tenant la main.

Tout à coup, Kyla fut frappée d'une étrange sensation. Un intense sentiment de liberté, doublé d'un bonheur qui lui emplissait la poitrine. Cet orage agissait comme une libération. Elle était trempée jusqu'aux os, sa robe lui collait à la peau, mais elle se sentait merveilleusement heureuse. Elle aurait pu courir ainsi pendant des heures !

Elle courait, et souriait. À sa droite, Marla souriait également. De toute évidence, elles partageaient le même bonheur.

176

Kyla aperçut bientôt les autres. Ils étaient tous là, sains et saufs. Et la pluie s'apaisait déjà, perdant de sa violence. Roland portait Elysia sur ses épaules. Harrick ouvrait la marche. La troupe marchait tranquillement vers le château, sans témoigner de la moindre inquiétude.

Marla éclata de rire. Sa joie était contagieuse. Puis elle se mit à chanter, sans lâcher la main de Kyla.

Lorlmar se dressait devant eux et les attendait.

10

Dès qu'ils furent près du château, des domestiques et quelques soldats accoururent à leur rencontre. La pluie avait cessé, mais il ne fut question que de l'orage, de sa soudaineté, des trombes d'eau qui s'étaient abattues en quelques minutes. Les enfants enjolivèrent l'aventure, décrivant les dangers qu'ils avaient courus et combien ils s'étaient montrés courageux.

Marla avait lâché la main de Kyla, pour reprendre celle d'Elysia au moment de franchir la grille de la forteresse. Les enfants furent séparés par groupes de deux ou trois, et expédiés à l'intérieur pour être séchés.

Roland avait rejoint ses hommes. Il riait, ses cheveux dégoulinant. Cela faisait un moment qu'il semblait ne plus s'intéresser à Kyla – à part un regard en arrière durant le trajet de retour, sans doute pour s'assurer qu'elle n'avait pas été oubliée. Après un instant d'hésitation, la jeune femme décida de rentrer elle aussi à l'intérieur.

Par chance, ou peut-être parce qu'elle commençait à se repérer, elle réussit à retrouver seule le chemin de sa chambre. Et cette fois, personne ne la suivit.

Elle commença par se débarrasser de ses vêtements, qu'elle mit à sécher sur deux chaises disposées face à la cheminée. Puis elle se frictionna avec l'une des couvertures du lit, avant de s'enrouler dedans, le temps de chercher une autre robe.

Pour rejoindre son coffre à vêtements, elle devait passer devant une grande fenêtre dont elle n'avait encore pas contemplé, en plein jour, la vue qu'elle offrait. Le spectacle la cloua sur place. Elle pouvait embrasser d'un seul coup d'œil la forêt, les montagnes au loin et même, sur la droite, un bout d'océan.

De gros nuages roulaient dans le ciel, emportant la pluie vers d'autres contrées. Le soleil couchant les teintait de couleurs flamboyantes.

Elle était appuyée contre la fenêtre, perdue dans ses rêveries, quand la porte s'ouvrit.

— Kyla ? appela Roland. Êtes-vous là ?...

Il se figea en la voyant. Kyla, qui s'était à moitié retournée, fit de même, comme s'ils étaient tous deux pétrifiés par la magie de cet instant. Elle, debout devant la fenêtre, pieds nus et enveloppée d'une couverture ; lui, s'encadrant de toute sa taille sur le seuil, fascinant de beauté virile.

Roland cherchait Kyla depuis tout à l'heure : il l'avait aperçue rentrer avec Marla, mais depuis leur arrivée au château il l'avait perdue de vue, et Marla ignorait où elle était. Roland craignait que la jeune femme ne se perde dans cette immense forteresse qui ne lui était pas encore familière, et qui recelait tant de chausse-trapes.

Mais elle était là. Dans leur chambre. L'endroit le plus logique, au fond. Et elle se tenait devant lui, sa nymphe, drapée d'une couverture, sa chevelure rayonnant davantage que le soleil couchant, les épaules dénudées avec innocence.

Roland tenta de baisser les yeux, mais c'était impossible. Il voulut tourner les talons et repartir, mais son corps refusa de lui obéir. Le regard rivé sur la ligne parfaite de ses épaules, il était incapable du moindre mouvement.

Elle tressaillit légèrement, et les pans de la couverture s'écartèrent, dévoilant une jambe au galbe parfait. Elle s'empressa de la cacher, bien sûr, mais dans son mouvement la couverture glissa sur ses épaules, menaçant de révéler ses seins.

Roland s'aperçut qu'il pouvait bouger, finalement. Il se retourna, referma la porte et tira le verrou.

Puis il s'approcha de la jeune femme. Elle restait immobile, le regardant. Et elle ne paraissait pas le craindre, comme il en avait eu peur. L'argent de ses yeux brillait dans toute sa plénitude, fascinant Roland comme si quelque créature païenne l'envoûtait à la lumière de la lune. Mais elle était la lune. Et il était son vassal. Il ne rêvait pas plus beau destin que de se noyer dans ces yeux, se repaissant de leur candeur et de l'étincelle de désir qu'il y décelait.

Lentement, très lentement, il posa les mains sur ses épaules, comme pour tester sa résistance. Si elle souhaitait s'écarter, il lui rendrait sa liberté. Mais elle n'en fit rien. Sa peau était délicieusement chaude sous ses paumes. Et ses lèvres s'entrouvrirent légèrement, pour inspirer un peu d'air.

Roland s'avança encore d'un pas. Jusqu'à frôler la couverture qui enveloppait la jeune femme.

Elle le laissait toujours faire. Il en conclut qu'elle le laisserait aussi l'embrasser – car il désirait l'embrasser, bien sûr. Et encore le mot « désir » était-il faible : s'il ne l'embrassait pas tout de suite, il était certain de défaillir.

Il pencha la tête, lui donnant le temps de l'arrêter. Elle n'en fit toujours rien. Cependant, il se contenta d'effleurer sa joue avec ses lèvres. Pour tout avouer, il mourait d'inquiétude à l'idée qu'au dernier moment, elle n'ait un geste de rejet.

Mais Kyla tourna la tête pour rencontrer ses lèvres et, d'un coup, la passion qui les attirait l'un vers l'autre s'embrasa. Dans un même élan, elle noua les bras à son cou tandis qu'il l'enlaçait pour l'attirer contre lui, oubliant la promesse qu'il s'était faite d'y aller prudemment.

De toute façon, il savait à présent qu'elle ne le repousserait plus. Elle lui rendait chacun de ses baisers avec une ardeur égale à la sienne.

Elle avait lâché la couverture qui ne tenait plus, entre eux, que par leurs corps serrés l'un contre l'autre. Son dos était donc à présent entièrement dénudé, et Roland pouvait le caresser à loisir, jusqu'à la cambrure qui annonçait la naissance de ses fesses rebondies. Il les empoigna fermement, la soulevant de terre, et elle émit un petit gémissement en s'agrippant à ses épaules.

Elle était légère, très légère, et en même temps parfaitement réelle.

Il la reposa un instant sur le sol. La couverture glissa tout à fait et tomba dans un bruissement de tissu.

Elle frissonna. De froid ou de pudeur, il n'aurait su le dire, et du reste cela n'avait pas d'importance : il l'avait de nouveau soulevée dans ses bras pour la porter jusqu'au lit.

Il la déposa en travers des couvertures, ne se lassant pas du spectacle de sa nudité, admirant chaque

182

détail de son anatomie. Il avait l'impression de vivre un rêve. Kyla était ici, avec lui, dans son lit.

Tendant le bras, elle approcha sa main de ses lèvres. Roland, immobile, la laissa dessiner du bout du doigt le contour de sa bouche. Elle avait plissé les yeux, se concentrant sur sa tâche. Amusé, il lui embrassa l'intérieur du poignet.

Elle voulut l'attirer à elle. Au moment où il s'apprêtait à la rejoindre sur le lit, il réalisa qu'il était toujours habillé – il ne s'était même pas changé depuis leur retour de promenade sous l'orage. Ses vêtements mouillés lui étaient tout à coup un fardeau. Il entreprit de s'en débarrasser, et Kyla s'assit sur les couvertures pour le regarder faire, jusqu'à ce que la pudeur lui fasse détourner la tête et fermer les paupières. Roland s'émut de son embarras, qui donnait des couleurs à ses joues.

— Kyla, murmura-t-il d'une voix rauque.

C'était presque trop beau pour être vrai. Il attendait ce moment depuis si longtemps. Avant d'aller plus loin, il voulait s'assurer que Kyla brûlait d'un désir égal au sien. Tout en sachant qu'il serait au supplice s'il essuyait une rebuffade.

Nu, il s'allongea près d'elle. Kyla pivota dans sa direction, mais elle gardait les yeux obstinément baissés, n'osant pas le regarder.

Roland réfléchit à un moyen de la détendre. Évitant tout geste brusque, il l'obligea à s'asseoir puis se positionna derrière elle, l'enserrant entre ses jambes. Kyla tourna la tête, lui offrant un profil parfait, une question naissant sur ses lèvres. Roland la réduisit au silence en posant un doigt sur sa bouche.

Puis il entreprit de défaire sa coiffure, ôtant une à une les épingles qui la retenaient, se repaissant du spectacle des mèches qui, libérées, retombaient comme des flammèches sur les épaules de la jeune femme.

Quand ce fut terminé, il se pencha vers elle et posa les mains sur ses avant-bras.

— Kyla, lui chuchota-t-il à l'oreille, et c'était presque une imploration à présent.

Kyla s'interrogeait. Où étaient passés son désir de vengeance, son envie de justice ? Tout à coup, ce n'étaient plus que de vagues notions, presque sans importance.

Seul comptait cet homme qui la tenait dans ses bras. Dont elle pouvait sentir le souffle sur sa chevelure. Et qui attendait. Il ne la forcerait pas, elle en était convaincue. Le choix n'appartenait qu'à elle.

Or, elle partageait son désir. Elle voulait connaître l'accomplissement charnel. C'était comme un besoin vital. La jeune femme innocente qu'elle avait été – pétrie de vertu et de principes – s'était volatilisée. Elle n'en était pas mécontente, bien au contraire. Elle se découvrait de nouveaux appétits – des appétits de femme – et brûlait d'envie de percer ce qui lui demeurait un mystère.

Elle voulait, de tout son cœur, découvrir ce monde inconnu que Roland lui avait fait entrevoir dès leur premier baiser. Elle attendait ce moment depuis longtemps, et son corps ne tolérerait pas une autre dérobade.

Kyla se tourna de nouveau, de façon à croiser son regard. Roland y lut de la passion. Puis la jeune femme renversa légèrement la tête en arrière, dans un geste de consentement. Ses lèvres accueillirent celles de Roland, qui éprouva une bouffée de gratitude.

Elle lui faisait presque face, à présent, et était à moitié agenouillée sur le lit. Roland dut faire appel à toute sa volonté pour ne pas la posséder sur-le-champ. Les caresses de Kyla attisaient l'incendie dans ses veines. La jeune femme, en effet, s'enhardissait. Elle avait d'abord posé les mains sur ses épaules, puis sur son torse, avant de descendre plus bas et de s'immobiliser, freinée par sa pudeur et sa timidité. Roland, héroïque, s'offrit à la guider, ne pouvant retenir un gémissement quand sa main approcha de sa virilité.

Son martyre, cependant, fut bien pire lorsqu'elle s'empara de son membre. Il eut beau se mordre les lèvres, au bout de quelques minutes de cette exquise torture, il crut qu'il allait défaillir de plaisir et libérer sa jouissance. Il se reprit à temps, lui écartant les mains, puis roulant sur le dos et l'entraînant à sa suite afin qu'elle se retrouve sur lui. Sa chevelure soyeuse retombait comme un rideau sur leurs visages scellés par un nouveau baiser.

Les seins de la jeune femme, pressés contre son torse, l'affolaient de plaisir et, pour se contrôler, il s'autorisa à la contempler quelques instants. Sa nymphe, tellement magique et tellement féminine. *Qui lui appartenait.*

Mais ce fut une erreur. Il fut si ébloui par le spectacle qu'il ne put se contenir davantage. Il fallait qu'elle soit sienne. Il la désirait avec trop de force. Tant pis pour les regrets ou les remords : leur temps viendrait plus tard.

Il la fit rouler de façon à inverser les positions : maintenant, c'est lui qui avait le dessus. Et, tandis que ses lèvres se refermaient sur l'un de ses tétons, il glissa une main entre ses cuisses, à la recherche de son pétale de rose. Elle répondit en arquant le bassin, la tête renversée dans les couvertures – de surprise ou de plaisir, il n'aurait su le dire, et de toute façon cela n'avait aucune importance car il n'avait pas l'intention de s'arrêter : il en était incapable.

Elle était tout ce qui lui importait. Elle était le centre du monde, le centre de l'univers. Rien ne pouvait avoir plus de valeur que Kyla s'offrant à lui, s'ouvrant à lui, le recevant les yeux écarquillés de ravissement... mais aussi de douleur.

Il l'embrassa pour l'aider à surmonter l'épreuve, la distraire de ce moment pénible, car Dieu lui était témoin qu'il ne voulait surtout pas la faire souffrir.

Bientôt, ils ondulèrent au même rythme, qui était comme l'écho des forces primitives de l'humanité. La douleur avait reflué et la jeune femme s'accrochait à lui, enroulait les jambes à ses hanches, comme pour l'attirer plus profondément en elle.

Roland, c'était sûr, allait mourir de plaisir. Il s'émerveillait de voir Kyla répondre avec une telle sensualité à ses assauts, et il continuait de plus belle, fasciné, les entraînant tous deux vers un abîme sans fin.

Tout à coup, il sentit qu'il ne pourrait pas se retenir davantage. Il s'abandonna à la jouissance dans un grand cri, avant de retomber, pantelant, sur Kyla.

L'espace d'un merveilleux instant, la jeune femme avait réussi à lui faire oublier ses démons.

La pluie avait fait boucler ses cheveux, qui s'étiraient en vagues d'ambre et de miel sur l'oreiller et formaient une sorte de halo lumineux autour de son visage endormi. Mais, au lieu d'ajouter à l'innocence de ses traits apaisés, ce cercle doré rappelait à Kyla l'énergie farouche dont il avait fait preuve dans leur étreinte. Même les paupières closes, son mari faisait preuve d'une sensualité diabolique.

Il rouvrit subitement les yeux, et lui sourit.

— Tu ne dormais pas ! s'exclama-t-elle d'une voix accusatrice.

— Il semblerait que non, concéda-t-il, croisant les mains sous sa nuque.

L'aube avait depuis longtemps percé le ciel, et Kyla n'avait pas besoin d'horloge pour savoir qu'il était plus tard qu'hier matin, quand les enfants étaient montés la réveiller pour l'inviter à partager leur petit déjeuner.

Cette fois, personne n'était venu les déranger – sinon les premiers rayons du soleil, qui s'attardaient sur les murs.

Pendant que Kyla dormait, Roland était resté à la contempler des heures durant. Il avait toujours l'impression de vivre un rêve. Mais il voulait que la vie réelle ressemble à ce rêve pour l'éternité. Il voulait se réveiller tous les matins avec Kyla à son côté, et la serrer chaque nuit dans ses bras.

Il roula sur le côté pour lui faire face et posa la main sur son bras. Comme elle ne fit rien pour arrêter son geste, il laissa courir sa main, remontant d'abord vers son épaule, puis descendant le long de son torse jusqu'à ses hanches, admirant ses courbes féminines.

— Je ne t'ai pas fait trop mal, hier soir ? demanda-t-il.

— Non. Enfin, si, un peu.

Il sourit.

— Je suis désolé. Et en même temps, je ne le suis pas.

Elle fronça les sourcils, interloquée, avant de comprendre qu'il la taquinait.

— En fait, je n'ai eu mal qu'au début, confessa-t-elle.

À peine eut-elle émis cet aveu qu'elle piqua un fard et détourna la tête. Roland s'approcha d'elle et repoussa les couvertures au pied du lit, afin que rien ne puisse les séparer. Il voulait lui murmurer quelques mots pour la mettre à l'aise, et aussi pour ranimer la flamme qu'il savait brûler en elle – car lui-même était déjà prêt à recommencer. Mais face à la jeune femme, il se retrouva soudain muet.

Elle n'était pas comme ces créatures hantant les tavernes, qu'il avait fréquentées dans ses jeunes années. Elle n'était pas davantage comme ces séductrices qui peuplaient la cour de Londres. En fait, elle ne ressemblait à aucune des femmes qu'il avait pu connaître jusqu'ici. En outre, elle était son épouse. Lui-même n'était plus un jeune freluquet, mais un homme. Son devoir était de protéger Kyla. Mais il n'y avait pas que cela. Elle était capable par sa seule présence d'illuminer ses journées, et il sentait qu'elle était la clé de la rédemption qu'il cherchait depuis si longtemps.

D'une certaine manière, il avait compris confusément tout cela dès leur première rencontre – cette fameuse nuit à l'auberge, quand elle avait pensé venger sa famille en s'attaquant à lui.

À présent, Kyla lui appartenait pour toujours, de même qu'il lui appartenait. Il était parfaitement conscient que s'il lui avait laissé le temps de réfléchir, elle aurait probablement refusé de l'épouser, préférant encore la réclusion dans la Tour, ou à

Rosemead. Ou bien elle se serait jetée dans les bras d'un autre.

Mais Roland était convaincu qu'aucun autre homme ne serait capable d'apprécier comme lui lady Kyla à sa juste valeur. C'est pourquoi, bien qu'il eût conscience d'avoir agi par égoïsme, il se considérait comme le prisonnier de la jeune femme, et non l'inverse. Elle s'était emparée de son cœur. Et il nourrissait toujours l'espoir, si mince soit-il, qu'elle finirait par lui pardonner.

Aussi, plutôt qu'une flatterie sans conséquence, il déclara :

— Je veux que tu saches quelque chose : je n'étais pas à Glencarson. Je n'étais pas arrivé quand l'assaut a débuté. Si j'avais été là, j'aurais tout arrêté.

Elle mit un certain temps à digérer ses paroles. Roland pouvait lire, dans ses yeux, qu'elle passait par toutes sortes d'émotions : la confusion, l'incrédulité, la colère…

Finalement, elle le repoussa et se redressa brutalement, pour s'asseoir sur les couvertures.

— Tu oses me dire cela maintenant ? Après… (Elle hésita, comme si elle ne parvenait pas à trouver les mots pour désigner leur nuit d'amour.) Ne me mens pas ! J'étais là ! Je sais que tu as donné l'ordre d'attaquer.

Roland s'assit à son tour. Maintenant qu'il avait engagé cette discussion, il était résolu à aller jusqu'au bout. Et tant pis si cela devait ranimer la haine qu'elle nourrissait pour lui : au moins, Kyla connaîtrait la vérité. Une vérité, du reste, qu'elle méritait totalement.

— Tu étais là, Kyla, en effet. Mais pas moi. Et je n'ai pas donné l'ordre d'attaquer. Je me trouvais à plusieurs jours de marche de Glencarson quand… l'un de mes lieutenants a cru devancer mes désirs.

Elle l'écoutait, les yeux écarquillés, serrant les draps dans ses mains.

— Je n'aurais jamais assailli un village peuplé d'innocents juste pour vous capturer, toi et ton frère, ajouta-t-il. Je ne suis pas ce genre d'homme.

Du moins, je ne le suis plus… songea-t-il.

— Oh non, bien sûr, répliqua-t-elle, cinglante. Tu es plutôt du genre à reporter la faute sur tes subordonnés. Me prendrais-tu pour une idiote, par hasard ?

Il secoua la tête avec un sourire attristé.

— Certainement pas. Tu es l'une des personnes les plus intelligentes que je connaisse. Et tu as raison sur un point : je suis responsable des actes de mes hommes. Mais je te répète que je n'ai pas personnellement donné l'ordre d'attaquer. Et que je ne l'aurais jamais fait.

Il y eut un silence. Roland priait le Ciel pour qu'elle admette sa sincérité.

Kyla, les yeux baissés, secoua la tête.

— Je ne sais plus que croire, avoua-t-elle. Tu prétends ne pas avoir donné l'ordre d'attaquer Glencarson, et pourtant c'est bien toi qui m'as prise en chasse, traquée et capturée pour me déférer devant le roi. Et c'est encore toi qui…

Sa voix mourut dans sa gorge, et une larme apparut au coin de son œil.

C'est cette larme – la première qu'il lui voyait verser après toutes les épreuves qu'elle avait traversées, et Dieu sait si elle aurait eu de bonnes raisons de pleurer – qui brisa le cœur de Roland.

Il l'attira dans ses bras malgré ses protestations étouffées et la berça tendrement, tandis que d'autres larmes ruisselaient sur ses joues. Il murmura ce qui lui vint à l'esprit, dans l'espoir de la réconforter.

— Tu m'avais attachée! sanglota-t-elle contre sa poitrine. Tu m'avais attachée et tu me faisais parader comme une criminelle...

Roland était désolé de l'avoir traitée aussi cruellement, et en même temps il ne nourrissait aucun regret, car c'était grâce à cela qu'elle se retrouvait aujourd'hui dans ses bras.

Si le destin en avait décidé autrement, si ses parents avaient vécu et si leurs fiançailles avaient suivi leur cours normal...

Mais il n'en avait pas été ainsi. Et bien qu'il lui chuchotât des excuses à l'oreille, Roland était heureux que Kyla n'ait pas réussi à lui échapper. Car, dans ce cas, sa seule chance de connaître le bonheur lui aurait filé entre les doigts, à la frontière de l'Angleterre et de l'Écosse.

Elle finit par s'apaiser. Roland cessa de la bercer, mais il la garda dans ses bras, ses lèvres effleurant sa chevelure. Il avait fermé les yeux, en proie à une étrange sensation de triomphe et de désespoir mêlés.

Il lui avait révélé la vérité, et elle était restée. Mieux : elle l'avait laissé la réconforter. C'était la preuve qu'elle avait surmonté un peu de son amertume. Mais était-ce suffisant?

Il prit une mèche de ses cheveux entre ses doigts.

— Tes cheveux frisent avec la pluie, dit-il.

— Les tiens aussi, répondit-elle après un moment.

— Ah? Je n'avais jamais remarqué.

Elle s'écarta et Roland consentit à la relâcher, guettant avec inquiétude un restant de colère sur son visage.

Mais sa rage semblait l'avoir quittée, remplacée par autre chose – de la résignation, peut-être, ou simplement une grande lassitude. Elle laissait son regard errer dans la chambre, scrutant les objets qu'il avait rassemblés et qui résumaient en quelque sorte sa vie.

La tapisserie représentant une sirène lui rappelait sa mère, car lorsqu'il était enfant, elle s'attardait tous les soirs dans sa chambre pour lui raconter des histoires peuplées de dieux, de déesses et de créatures magiques.

La conque en spirale évoquait l'océan, et donc son père : un fier marin.

Le livre de méditation venait de Harrick.

Juste à côté, quelques brindilles et morceaux de mousse agglomérés provenaient d'un nid qu'Elysia avait trouvé et lui avait apporté.

Le petit coffret incrusté de pierreries avait appartenu à Eleanor : c'est là qu'elle rangeait ses rêves de fillette.

Kyla pouvait voir tout cela, mais bien sûr aucun de ces objets n'avait de signification particulière à ses yeux, puisqu'elle en ignorait l'histoire.

— J'ai besoin d'être seule, dit-elle finalement. J'espère que tu peux comprendre.

— Bien sûr, répondit-il, alors qu'il aurait souhaité au contraire rester.

Il récupéra ses vêtements et prit le temps de s'habiller, coulant de fréquents regards en direction de la jeune femme, qui l'observait. Mais il en était convaincu, à présent : elle n'était plus en colère. Elle avait simplement besoin de temps.

Quand il fut prêt, il revint vers elle et planta un baiser impérieux sur ses lèvres. Il voulait qu'elle se souvienne qu'il y avait, aussi, de la passion entre eux.

Elle le laissa l'embrasser, mais ne lui rendit pas son baiser. Le simple contact de ses lèvres suffit cependant à raviver le désir de Roland.

Il se contint, s'empressant de quitter la chambre.

Elle n'avait pas de tenue d'équitation. Lady Élisabeth n'avait pas pensé à ce détail. Depuis Londres, Kyla avait donc voyagé avec ses robes ordinaires. Et elle continuerait jusqu'à nouvel ordre. Car elle avait envie de galoper dans les chemins. Elle avait besoin de sentir le vent siffler à ses oreilles pour s'éclaircir les idées.

Elle dénicha les écuries en longeant, dans la grande cour intérieure, le mur d'enceinte. Les domestiques qu'elle croisa sur son chemin – des lavandières et d'autres – lui indiquèrent une vieille construction en pierre : c'étaient là qu'étaient abrités les chevaux.

Kyla s'en voulait de sa négligence. Elle aurait dû rendre visite à Zéphyr bien plus tôt, pour s'assurer qu'il ne manquait de rien. Mais, quoiqu'il secouât la tête à son arrivée, manifestant son irritation, elle devina qu'il avait été bien traité. Sa stalle était propre, et il avait à sa disposition un baquet d'eau fraîche et une mangeoire pleine.

— Mon chéri, lui murmura-t-elle, tentant de faire oublier sa longue absence par de tendres paroles et des caresses sur son museau. Comment te sens-tu ?

Zéphyr, ourlant ses lèvres, fit semblant de lui mordiller les doigts, juste pour s'amuser.

— Faites attention, milady, intervint un palefrenier qui s'était approché. Il a de grandes dents, l'animal.

Kyla lui sourit.

— Vous avez raison. Mais nous sommes amis.

Zéphyr roula des yeux menaçants vers l'homme, qui recula instinctivement. Kyla s'amusa de ses taquineries.

— N'ayez pas peur. Il s'appelle Zéphyr, et il n'y a pas cheval plus paisible que lui.

Mais, de toute évidence, le palefrenier la prenait pour une folle – ou pour une menteuse.

Usant de persuasion, mais n'hésitant pas à recourir à l'autorité que lui conférait son titre de comtesse, elle réussit à le convaincre de seller l'étalon. Et quelques minutes plus tard, elle quittait le château au grand galop, savourant les embruns salés venus de l'océan qui lui picotaient les yeux.

Elle avait refusé toute escorte, ce qui n'avait pas davantage plu au palefrenier. À en juger par sa grimace lorsqu'elle était sortie des écuries, Kyla se doutait que son temps de liberté avec Zéphyr serait compté.

Le palefrenier avertirait le régisseur, qui lui-même avertirait Roland. Et Roland enverrait quel-qu'un à sa poursuite – à supposer qu'il n'y aille pas lui-même.

Kyla se pencha pour coller à sa monture, l'encourageant à accélérer l'allure. Elle n'était plus la prisonnière du comte de Lorlreau. Sans doute s'imaginait-il que les chaînes du mariage suffiraient à la domestiquer. Et il devait supposer, maintenant qu'elle s'était donnée à lui, qu'il pouvait entièrement la dominer. Eh bien, elle allait lui montrer qu'il se trompait. Personne ne serait jamais capable de la dominer.

Certes, un cavalier lancé sur ses traces pourrait la rattraper en quelques minutes. Il n'empêche : ce court moment de liberté était une bénédiction.

Cependant, elle ressentait une vague irritation entre ses jambes – comme une crampe. Elle était pourtant habituée à chevaucher. Mais tout à coup, elle réalisa pourquoi elle éprouvait cette gêne, à cet endroit particulier.

De cet instant, elle ne vit même plus les paysages qu'elle traversait. Les souvenirs de la nuit précédente l'assaillaient. Avec quelle facilité elle avait cédé au désir que lui inspirait Roland ! Et comme elle avait été heureuse de le sentir en elle ! À présent, elle était véritablement sa femme, dans tous les sens du terme. Mais elle en éprouvait une soudaine culpabilité.

Et c'est cette culpabilité qui la poussait à galoper toujours plus vite, et toujours plus loin du château.

Elle approchait des falaises surplombant la mer. Zéphyr s'engagea sur un sentier qui longeait la côte, offrant une vue imprenable sur les vagues qui roulaient furieusement au-dessous d'eux.

La journée était radieuse, et les nuages de la veille avaient déserté le ciel. Reprenant peu à peu ses esprits, Kyla ralentit sa monture, puis la fit s'arrêter. Le vent ébouriffait sa chevelure, et quelques mèches retombaient parfois devant ses yeux, lui bouchant la vue.

Deux petites îles émergeaient au loin, leur silhouette se découpant parfaitement sur l'horizon ensoleillé. Taldon et Forswall, devina-t-elle.

Zéphyr souffla bruyamment pour manifester son impatience. Kyla lui flatta l'encolure et le laissa repartir, mais au pas cette fois, en suivant le sentier côtier. La jeune femme prenait bien soin de ne pas trop s'approcher du bord de la falaise.

Ses pensées étaient concentrées sur l'homme qui l'avait conduite sur cette île.

Kyla avait quelque difficulté à démêler l'écheveau de ses émotions, tant son existence avait été bouleversée ces dernières semaines. Mais, au-delà de la culpabilité qui l'avait assaillie tout à l'heure, elle ressentait quelque chose de plus profond, qu'elle essayait de comprendre. En vérité, elle refusait de regretter ce qui s'était passé hier soir. Peu importait, au fond, qu'elle ait laissé le désir l'emporter sur la raison. Et même, peu importait qu'elle ait éprouvé auprès de Roland un sentiment encore inconnu, et qui probablement s'appelait… l'amour.

L'amour ? Avait-elle perdu la tête, pour songer à de telles sornettes ? Elle ne pouvait pas être amoureuse de lui ! C'était stupide.

Sa culpabilité resurgit de plus belle. Mais Kyla s'obligea à la mettre de côté. Il y avait autre chose, de plus important.

Ce qu'il avait dit ensuite. Au sujet de Glencarson. C'était vraiment essentiel.

Car cela voulait dire que la haine qu'elle avait soigneusement entretenue contre lui finirait, tôt ou tard, par s'écrouler.

Roland jurait qu'il n'avait pas ordonné l'attaque. S'il disait vrai, alors il n'était pas responsable de la mort d'Alister. Du moins, pas directement. Indirectement non plus, d'ailleurs.

Kyla se couvrit les yeux avec la main, dans l'espoir de chasser les images qui se rappelaient à sa mémoire. Mais en vain.

Elle revoyait tout. Les cris déchirants des femmes arpentant le champ de bataille. La boue ensanglantée qui collait à ses semelles. Alister, gisant au milieu d'autres hommes, l'un de ses bras replié dans un angle impossible, comme un pantin brisé.

Ses taches de rousseur encore plus visibles sur son visage pâle. Ses yeux bleus grands ouverts sur le néant, qu'elle avait elle-même fermés…

Elle ne put retenir un cri de désespoir, qui s'envola dans le vent.

Elle pleurait, également, mais ce n'était pas grave, car elle était seule, et personne ne serait témoin de ce moment de faiblesse.

Quand ses larmes se furent taries, elle appuya sa tête sur l'encolure de son cheval. Zéphyr interpréta son geste comme une incitation à aller de l'avant.

Ainsi, Roland n'avait pas ordonné l'attaque. Mais Kyla devait-elle pour autant le laver de toute responsabilité ? Après tout, c'était bien lui qui l'avait pourchassée – cela, il ne pourrait jamais le nier.

Et puis, à supposer que la bataille n'ait pas encore commencé à son arrivée, il aurait très bien pu donner l'ordre d'attaquer quand même. Peut-être n'avait-il fait que lui raconter ce qu'elle avait envie d'entendre.

Ou peut-être non. Peut-être était-il sincère. Kyla, en tout cas, devait admettre qu'elle désirait désespérément qu'il se révèle meilleur qu'elle ne l'avait d'abord jugé. Le problème, c'est qu'elle avait aussi besoin de quelqu'un à blâmer. Il lui fallait un exutoire à sa rage, car c'était la seule façon de supporter la tragédie qui l'avait accablée.

Elle ferma quelques instants les yeux, et lorsqu'elle les rouvrit elle s'aperçut que Zéphyr s'était aventuré sur un nouveau sentier, qui menait à une éminence de granit surplombant la mer. Une tour ronde se dressait à son sommet.

Elle était construite en pierre, mais contrairement à Lorlmar la pierre de cette tour était grise, recouverte de mousse verte. L'ensemble avait un air d'irréalité, et Kyla décida de mettre pied à terre pour toucher la base de la tour et s'assurer qu'elle ne rêvait pas. Elle lâcha les rênes de Zéphyr, le laissant libre de ses mouvements, certaine qu'il n'irait pas bien loin.

Les moellons étaient solides et froids au toucher. Une croix avait été gravée sur l'un d'eux, mais c'était la seule décoration visible. Il n'y avait pas de fenêtre. Kyla ne trouva qu'une porte, en bois plein, et verrouillée.

Cette construction lui parut étrange. Elle supposa qu'elle avait un rapport avec les deux autres îles – que l'on pouvait apercevoir d'ici. Mais il existait de meilleurs endroits pour avoir une vue imprenable sur Taldon et Forswall. Et veiller sur elles.

Une rafale de vent apporta à Kyla l'écho, inintelligible, d'une conversation. C'étaient des voix de femmes. Leur sonorité était étrange. Fantomatique. Comme si ces voix hantaient les lieux. Elles s'évanouirent presque aussitôt, et Kyla tourna la tête de droite et de gauche pour tenter d'identifier d'où elles provenaient. Elle eut beau tendre l'oreille, elle n'entendit plus rien, sinon le bruit du vent et des oiseaux. Mais cet incident lui avait donné la chair de poule.

En contournant l'édifice, elle repéra un sentier qui descendait jusqu'à la mer. Une petite plage était visible, et bien qu'elle fût déserte, Kyla comprit mieux les raisons de l'emplacement de la tour. Des envahisseurs auraient pu débarquer ici.

Plutôt que de plage, il aurait été plus juste de parler d'une crique – encaissée entre deux avancées de la falaise qui se terminaient par d'immenses rochers. Et la mer y était dangereuse, à en juger par les débris de navires çà et là.

Kyla descendit précautionneusement le sentier, fascinée par ces carcasses de bateaux brisés en mille morceaux, certains échoués sur le rivage, d'autres comme empalés sur des rochers affleurant à la surface des flots. Elle dénombra les restes d'au moins quatre gros navires, et de plusieurs autres de plus modestes dimensions.

Cette ravissante crique s'avérait un piège mortel – mais les marins l'avaient découvert trop tard. Le courant avait dû les précipiter sur les rochers sans qu'ils puissent manœuvrer pour s'échapper.

Kyla n'avait pas l'intention de s'aventurer très loin sur la plage. Même en plein soleil, l'endroit était par trop sinistre et respirait la désolation.

Le sable humide mouilla ses chaussures. Elle les ôta, pour les tenir à la main, et se servit de son autre main pour relever ses jupes sur ses mollets.

Une mouette s'était perchée sur une planche coincée à la verticale entre deux rochers. Elle observait la jeune femme avec curiosité, suivant ses mouvements de ses petits yeux noirs.

Kyla s'arrêta quand l'eau atteignit ses chevilles. Il était inutile d'aller plus loin : elle en avait assez vu. Pourtant elle continua d'avancer, attirée par la coque renversée d'un navire dont la quille s'offrait aux rayons du soleil.

La coque était à moitié immergée, et tout un petit monde s'y était développé. Kyla put apercevoir, par les planches disjointes, des étoiles de mer. Soudain, la mouette poussa un cri perçant et s'envola pratiquement sous son nez. Kyla, surprise, fit un bond en arrière.

Elle heurta quelque chose de mou. C'était bizarre… Mais, au moment où elle allait crier, elle ressentit un violent choc à la tête.

L'image de l'étoile de mer resta un bref instant imprimée sur sa rétine, puis ce fut le noir.

11

Quelqu'un criait dans sa tête.

C'était une voix colérique, qui insupportait Kyla, mais elle fut suivie par d'autres intonations, plus calmes. Et qui cependant demeuraient tout aussi incompréhensibles. Cela n'avait pas d'importance, du reste : Kyla n'avait pas envie de comprendre.

Finalement la voix se tut, et Kyla retrouva la tranquillité. Mais bientôt d'autres voix lui parlèrent, plus familières, et plus chaleureuses. Celle de sa mère, toujours aimante. Celle de son père, qui la pressait de faire quelque chose. Et même celle d'Alister, qui lui enjoignait de revenir...

Dès que la clarté revint peu à peu dans sa conscience, Kyla s'obligea à chasser ces voix. Sa famille lui manquait trop. Il lui semblait plus facile, et plus agréable, d'avancer que de revenir en arrière. Mais dans l'immédiat, elle avait surtout l'impression de reprendre possession de son corps – qui la faisait terriblement souffrir de partout. Heureusement, elle était allongée sur quelque chose de moelleux.

Une main lui caressait les joues.

Et elle entendait à présent la voix de Roland. Il répéta son nom, plusieurs fois, d'une voix basse et persuasive.

Elle voulut prendre une grande inspiration, mais ses poumons la brûlèrent et elle toussa misérablement.

Roland s'empressa de lui soulever la nuque et de la maintenir, avant de la reposer sur l'oreiller quand sa toux eut cessé.

Ses lèvres étaient bleues lorsqu'elle avait été ramenée au château. Vraiment bleues.

C'était la vigie qui l'avait portée jusqu'ici. Arrivé à la grille du château, l'homme avait appelé à l'aide. Par chance, Roland n'était pas loin. Il avait entendu les cris et avait accouru.

Un attroupement s'était déjà formé, mais Roland avait joué des coudes pour prendre la jeune femme dans ses bras. Kyla – sa Kyla – était blessée, et c'était à lui de s'en occuper.

Sa robe était trempée, ses cheveux également. Et elle pesait si lourd dans ses bras qu'il en avait déduit qu'elle était totalement inconsciente – peut-être morte. *Non*, pas morte ! avait-il espéré tandis qu'il la montait jusqu'à leur chambre.

Puis Marla avait surgi de nulle part et l'avait précédé, lui ouvrant la porte. Les autres suivaient dans l'escalier. Et la vigie expliquait à la cantonade ce qui s'était passé. Roland n'avait entendu que quelques bribes de son discours :

— La face dans l'eau... l'anse des Sirènes... j'ai d'abord vu son cheval, mais elle, je ne la voyais pas... heureusement, ça venait juste d'arriver... des pas dans le sable...

Roland n'avait pas cherché à comprendre, sur le coup. L'important était de savoir combien d'eau elle avait avalée, et si elle pouvait encore respirer.

Marla avait déjà une expérience en la matière. À peine avait-il déposé Kyla sur le lit qu'elle l'avait tournée sur le côté et avait appuyé sur son estomac.

Rien n'était sorti. La vigie expliquait à présent que lorsqu'il l'avait tirée de l'eau, elle avait toussé, et quand il l'avait juchée en travers de son cheval, elle avait encore toussé, et expectoré un peu d'eau.

Marla écoutait en hochant la tête. Elle palpait Kyla, auscultait ses yeux, lui frottait les mains.

Roland s'était reculé pour la laisser œuvrer, mais il ne quittait pas Kyla des yeux. Son visage était d'une pâleur inquiétante.

Pourquoi ? Et qu'avait-il bien pu arriver à la jeune femme entre le dernier instant où il l'avait vue et maintenant ? Pourquoi se trouvait-elle à l'anse des Sirènes ? Et que faisait-elle dans l'eau ?

Il refusa la première hypothèse qui s'offrit à lui. Certes, Kyla avait traversé une période difficile. Mais elle n'avait aucune raison d'user de violence contre elle-même. Et Roland ne voulait pas croire, ne pouvait pas croire qu'elle ait pu songer à une telle extrémité après ce qu'ils avaient partagé la nuit dernière.

C'était parce qu'il avait l'humeur trop sombre qu'il avait songé à une telle hypothèse – une hypothèse qu'il n'aurait pas jugée impensable, s'agissant de lui-même, six ans plus tôt. Non, Kyla était plus forte que cela. Elle n'aurait pas cédé à ses démons.

Marla était, sur Lorlreau, ce qui ressemblait le plus à un médecin. Elle servait à l'occasion de sage-femme, de dentiste, et n'avait pas son pareil pour panser les blessures. Roland l'avait vue s'occuper de la plupart des habitants de l'île, et il lui faisait toute confiance. Quand elle réclama des herbes et du bouillon de légumes, aussitôt des domestiques s'empressèrent pour les lui chercher.

Puis elle souleva la tête de Kyla, en quête d'une quelconque blessure. Elle fronça les sourcils tandis qu'elle passait la main dans la chevelure de la jeune femme. Puis elle reposa doucement la tête de Kyla sur l'oreiller et tourna son regard vers lui.

Roland comprit qu'il s'agissait de quelque chose de grave. Dès que le bouillon et les herbes furent apportés, Marla ordonna à tout le monde de sortir – excepté Roland, bien sûr, qui aurait de toute façon refusé de bouger.

Elle lui montra l'entaille sur le crâne de Kyla : après nettoyage du sang coagulé, il ne subsista qu'une déchirure, nette et fine. Une chute accidentelle n'aurait pu produire une telle blessure.

Marla n'eut pas besoin de dire à quoi elle pensait. Et Roland comprit pourquoi elle avait ordonné aux autres de quitter la chambre. Mais le choc n'en était pas moins grand.

Quelqu'un avait agressé Kyla. Quelqu'un l'avait frappée par-derrière dans l'eau.

Quelqu'un de Lorlreau.

Roland sentit une colère noire l'envahir. Qui avait pu oser s'en prendre à sa femme ? Il croyait revivre les pires années de sa vie, quand son quotidien n'était qu'un long cauchemar.

Marla, qui était déjà là à cette époque, ne disait rien. Elle se contenta de lui tendre une cuiller et le bol dans lequel elle avait préparé une décoction, pour qu'il la fasse lui-même boire.

Il s'approcha du lit, abreuvant la jeune femme cuillerée après cuillerée, prenant soin qu'elle avale tout. Et elle avalait, ce qui était plutôt bon signe. Il se concentra donc sur sa tâche, heureux pour l'instant de ne plus penser à autre chose.

Des heures plus tard, alors que le soleil s'était couché depuis longtemps, il était toujours au chevet de Kyla. Une domestique lui avait monté un plateau pour son dîner, mais il n'y avait pas touché. Il répétait sans cesse le nom de la jeune femme, à voix basse, comme une incantation, persuadé qu'elle finirait par l'entendre et lui répondre.

Pourtant, quand elle rouvrit enfin les yeux, il crut d'abord à un mirage. Il attendait ce moment depuis si longtemps qu'il se demanda s'il ne l'avait pas imaginé.

Mais non. Les deux ravissantes prunelles argent et noir étaient bien rivées sur lui. Kyla s'était réveillée. Il en fut si bouleversé qu'il ressentit un frisson dans tous ses membres, avant d'être submergé par un sentiment d'immense soulagement et de gratitude. Elle était sauvée. Elle allait s'en sortir.

La jeune femme cligna plusieurs fois des yeux, comme pour dissiper la confusion qui régnait dans son esprit. Puis elle tendit une main. Roland s'en saisit aussitôt pour l'étreindre.

Elle semblait vouloir dire quelque chose, mais aucun son ne sortait de sa bouche.

— Détends-toi, lui dit Roland. Tout va bien, à présent.

Son visage était moins pâle que précédemment – et ses lèvres avaient presque retrouvé leur rose délicat et sensuel. Elle prit une profonde inspiration, qu'elle relâcha lentement.

— Étoile de mer, murmura-t-elle.

Et comme si ces trois mots l'avaient épuisée, elle referma les yeux.

Marla s'approcha du lit. Roland ne l'avait pas entendue entrer. Elle posa sa main sur le front de Kyla.

— Elle va beaucoup mieux, constata-t-elle avec un sourire.

— Mais elle a encore de la fièvre. As-tu entendu ce qu'elle a dit ?

Marla prit un linge propre et l'imbiba dans la cuvette posée sur la table de chevet.

— Oui, j'ai entendu. Mais elle n'a plus de fièvre, milord, vous pouvez me croire.

Et, à la stupéfaction de Roland, elle posa le linge humide sur son front à lui, soulevant sa main pour qu'il le maintienne en place.

— C'est vous qui avez le plus besoin de repos, désormais, milord. Vous ne serez utile à personne en veillant davantage.

— Non, protesta Roland, qui ôta sa main et laissa le linge tomber par terre. Je refuse de la quitter.

Marla, patiemment, ramassa le linge et le trempa de nouveau dans la cuvette, avant de l'essorer.

— Je ne vous ai pas demandé de partir, mais de vous reposer. Ce lit est largement assez grand pour deux. Allongez-vous.

Elle le toisait, entêtée comme elle savait l'être.

Son idée, après tout, n'était pas si mauvaise. C'était vrai qu'il avait besoin de repos. Roland ôta donc ses bottes et se glissa doucement entre les draps, près de sa femme. Dès qu'il fut allongé, il reprit sa main dans la sienne.

— Parfait, approuva Marla qui posa de nouveau le linge sur son front. Duncan monte la garde devant la porte. Vous n'avez à vous inquiéter de rien. Et si vous avez besoin de quoi que ce soit, appelez-moi. Pour cette nuit, je m'installerai dans la chambre mitoyenne.

Roland enfonça la tête dans l'oreiller. Marla se dirigeait déjà vers la porte, mais il tenait à lui exprimer sa gratitude – elle l'avait bien méritée.

— Vous êtes une femme formidable, murmura-t-il, les yeux mi-clos.

Marla eut un geste vague de la main, comme pour balayer le compliment, et sortit sans un mot.

Le profil de Kyla, à son côté, se détachait parfaitement sur le mur en arrière-plan. Se trompait-il ou paraissait-elle plus apaisée ? Sa poitrine se soulevait et retombait à un rythme régulier.

Kyla rouvrit de nouveau les yeux. Elle était désorientée. Roland se tenait allongé près d'elle, tout habillé et semblant dormir. Comme c'était bizarre ! Et pourquoi tous ces chandeliers demeuraient-ils allumés en pleine nuit ? Quelle coûteuse extravagance que d'éclairer des dormeurs !

Elle voulut bouger, mais aussitôt une douleur lui vrilla le crâne.

Roland se mit à ronfler légèrement.

Kyla se rappelait la plage. Cette étrange plage avec ses squelettes de navires, et cette mouette qui lui criait dans les oreilles.

À moins que ce ne fût elle qui ait crié ? Non, elle se rappelait avoir voulu crier, mais ses souvenirs s'arrêtaient là. Elle ignorait ce qui s'était passé ensuite. Comment s'était-elle retrouvée dans ce lit ? Et pourquoi avait-elle si mal au crâne ?

Elle essaya, avec sa main, de localiser la source de sa douleur, mais rencontra un épais bandage. Elle avait dû être blessée par quelque chose.

Elle revoyait la mouette, prenant son envol juste au-dessus de sa tête. Elle avait sursauté. Reculé. Et…

Roland, dans son sommeil, se tourna vers elle et passa un bras autour de sa taille.

Kyla, en prenant son temps, réussit à se glisser sous son bras pour se redresser et s'adosser à la tête du lit. Par la fenêtre, elle pouvait voir une nuit sans lune, mais constellée d'étoiles. Combien de temps avait-elle dormi ?

Une porte, sur le côté, s'ouvrit discrètement, et la tête de Marla apparut. Elle écarquilla les yeux en voyant Kyla réveillée, qui la regardait. S'approchant du lit, elle plaça une main sur le front de la jeune femme.

— Vous avez mal au crâne, n'est-ce pas ?

Et avant que Kyla ait pu répondre, elle ajouta :

— Je reviens avec ce qu'il faut.

Elle disparut derrière la porte. Kyla reporta son attention sur Roland. L'une de ses mains était crispée sur les draps, et il fronçait les sourcils comme s'il était perturbé. Sans doute était-il victime d'un cauchemar. Elle laissa courir son doigt sur les plis de son front, jusqu'à ce qu'ils disparaissent et qu'il retrouve un visage apaisé. Sa main se détendit à son tour. Kyla approcha la sienne et fut frappée par leur différence de teint – la main de Roland était tannée par le soleil – et surtout de taille.

Celle de Roland était énorme par rapport à la sienne. C'était une vraie main d'homme, habituée aux travaux manuels. Kyla la contemplait toujours quand Marla revint. Elle tenait une tasse fumante qu'elle tendit à la jeune femme.

— Buvez, dit-elle. C'est de la tisane d'écorce de saule. Cela vous aidera à faire passer la douleur.

Le breuvage était amer, et Kyla le but à petites gorgées pendant que Marla, assise au bord du lit, gardait le silence.

Les deux femmes restèrent ainsi un long moment, perdues dans leurs pensées, Roland endormi à côté d'elles.

— Avez-vous vu qui vous a frappée ? demanda finalement Marla.

Kyla secoua la tête.

— Non. Tout s'est passé trop vite.

Elle se racla la gorge et répéta, d'une voix plus ferme :

— Non. Je n'ai rien vu.

— Je m'en doutais un peu. À en juger par votre blessure, vous tourniez le dos à votre agresseur.

Kyla songea qu'il s'agissait peut-être d'une femme, mais elle ne le formula pas à haute voix.

— Que faisiez-vous dans l'anse des Sirènes ?

— L'anse des Sirènes ? C'est ainsi que s'appelle cet endroit ?

Marla hocha la tête.

— On prétend que, vus de la mer, les deux grands rochers qui en gardent l'entrée ont la forme de sirènes. L'une peigne ses cheveux tandis que l'autre fait, avec sa main, des signes pour dire d'approcher. Beaucoup d'hommes s'y sont laissé prendre. Et une fois que leurs bateaux se trouvent engagés vers l'anse, c'est fini : le courant les aspire et les précipite sur les récifs.

Kyla se souvenait des deux grands rochers se détachant sur le ciel bleu. Elle ne leur avait trouvé aucune ressemblance avec une quelconque créature, humaine ou mythologique.

Mais un autre détail remonta à sa mémoire : elle se rappelait avoir entendu des voix, peu avant son agression, lorsqu'elle se trouvait encore en haut de la falaise. Des voix féminines, mais qui semblaient irréelles, comme si elles appartenaient à des fantômes. C'était impossible, bien sûr. Kyla avait sans doute été victime de son imagination. Ou alors c'était la voix de son agresseur. Et cependant, à ce seul souvenir, elle avait la chair de poule.

— Tous ces navires échoués… murmura-t-elle. Tous ces hommes qui ont trouvé là une mort atroce…

— La plupart étaient des pirates, relativisa Marla. Des pirates ou des contrebandiers.

Kyla avala une nouvelle gorgée de décoction et haussa les épaules.

— Je ne me rendais nulle part en particulier, dit-elle. J'avais juste pris mon cheval pour une promenade le long de la côte. Et nous avons abouti là, au-dessus de cette petite crique. J'ai mis pied à terre pour voir la tour de plus près. Et quand j'ai aperçu la plage en contrebas, j'ai suivi le sentier qui descendait entre les rochers. J'ai voulu m'approcher de la carcasse de bateau la plus accessible. À l'intérieur, c'était tout noir, mais j'ai vu…

— Une étoile de mer ? suggéra Marla.

— Oui. Il y avait aussi une mouette. Elle s'est envolée sous mon nez. J'ai reculé de surprise, et alors…

Elle se tut. Ses souvenirs s'arrêtaient définitivement là.

— Et alors, quelqu'un – mais peut-être étaient-ils plusieurs – vous a frappée à la tête, continua Marla d'un ton détaché. Je suppose qu'ils se seront servis de l'une des planches dispersées sur le rivage, qu'ils avaient ramassée quelques instants auparavant. Peut-être n'avaient-ils pas prémédité de vous frapper, mais l'occasion s'est présentée et ils en ont profité. Qui peut savoir ?

Elle referma les mains autour de ses genoux et poursuivit, du même ton parfaitement calme :

— Le coup a dû vous faire tomber dans l'eau. Mais vous n'y êtes pas restée plus de quelques minutes. Sinon, je… je n'aurais pas pu vous ramener à la vie.

Kyla l'écoutait, oubliant sa tisane – qui était presque terminée, d'ailleurs. Marla l'incita à boire une dernière gorgée, puis elle reprit :

— Pendant que vous flottiez, inconsciente, à la surface de l'eau, beaucoup de choses auraient pu arriver. Bizarrement, vos agresseurs vous ont abandonnée aussitôt. Sans doute ont-ils pensé que vous étiez morte. Ou que ce n'était plus qu'une question de minutes. À moins qu'ils aient entendu la vigie approcher. Il a dû crier, pour vous appeler. Vos agresseurs l'auront entendu et ils auront décampé pour ne pas être aperçus. La vigie avait trouvé votre cheval. Il ne savait pas que c'était le vôtre, mais il ne comprenait pas ce qu'un cheval faisait à cet endroit. Voilà pourquoi il est descendu sur la plage. Il vous a tirée de l'eau, et il a eu la bonne idée de vous coucher en travers de son cheval, la face vers la terre. Ainsi, l'eau contenue dans vos poumons a pu sortir.

Marla demeura pensive quelques instants, avant de préciser :

— En fait, c'est lui qui vous a réellement sauvée. Nous devrons nous inspirer de sa méthode lors de la prochaine noyade.

Kyla ne disait rien. Elle contemplait la main de Roland, posée sur sa cuisse.

— C'est Roland qui vous a montée jusqu'ici, termina Marla. Il m'a aidée à confectionner votre bandage, il vous a fait boire, et il n'a pas quitté un instant votre chevet.

— C'est vrai ? fit Kyla, qui regardait les poils blonds de ses avant-bras.

Marla s'était relevée pour aller éteindre les chandeliers un à un, laissant une traînée d'ombres dans son sillage. Elle s'arrêta devant le dernier, celui de la table de chevet, qu'elle moucha avec les doigts.

— J'avais aussi mis de la jusquiame dans votre tisane, pour vous aider à trouver le sommeil, dit-elle. Dormez à présent, comtesse. Dormez bien.

Elle sourit à Kyla, avant de disparaître dans l'autre chambre.

Kyla se rallongea entre les draps et se tourna vers Roland. La dernière chose qu'elle vit, avant de sombrer dans les limbes, fut son visage à la beauté virile.

Duncan était manifestement bouleversé.

— Je ne comprends pas, milord, ne cessait-il de répéter, en regardant le paysage qui s'étendait au pied des murailles de la forteresse. Je ne comprends pas.

— De combien de nouvelles recrues disposons-nous ? lui demanda patiemment Roland.

Duncan, qui avait combattu à ses côtés dans d'innombrables batailles, triturait sa barbe, le regard toujours perdu au loin, comme s'il n'osait pas croiser celui de Roland.

212

Ce dernier soupira. Il n'avait aucune envie de jeter le blâme sur son capitaine. Il était évident que Duncan prenait l'agression contre Kyla comme un affront personnel.

— Deux douzaines, pas plus.

— Deux douzaines, murmura Roland, retournant ce chiffre dans son esprit.

Vingt-quatre nouveaux habitants qui étaient venus grossir les effectifs du domaine. Vingt-quatre garçons, glanés lors de sa dernière campagne, et qui n'avaient pas de terre où s'installer.

Lorlreau manquait d'hommes. Le constat, pour triste qu'il fût, n'en était pas moins banal. Encore l'île principale pouvait-elle se prévaloir d'une population à peu près suffisante. Mais Taldon et Forswall comptaient des hectares de terres arables sans personne pour les cultiver. Aussi, chaque fois qu'une recrue exprimait le désir de rester avec lui, Roland étudiait toujours favorablement son cas. Et, depuis quelques années, il avait délégué ce soin à Duncan, sachant pouvoir s'en remettre au discernement de son capitaine.

Certes, il n'y avait aucune raison, en l'état actuel de l'enquête, de ne pas faire confiance à ces jeunes gens. Cependant, il fallait en avoir le cœur net, et pour cela Duncan devait ravaler sa fierté et passer à l'action.

— Interroge tes lieutenants, lui ordonna Roland. Demande-leur s'ils ont remarqué quelque chose au sujet de ces garçons. N'importe quoi. Mais sois discret.

Duncan acquiesça.

Depuis la muraille on pouvait apercevoir, près du rivage, des pêcheurs réparant leurs filets. Une scène quotidienne, paisible, comme Roland les affectionnait. Il sentit sa gorge se contracter à l'idée qu'un traître se cachait peut-être parmi ses gens. Mais non, c'était impossible. Cela ne pouvait pas venir d'eux.

Duncan avait baissé les yeux et regardait le sol.

— Comment va-t-elle ?

— Beaucoup mieux. Elle s'en tirera.

— Vous pouvez dire merci à la vigie. C'est un garçon intelligent. Je crois que je vais lui poser quelques questions.

— Bonne chance, approuva Roland, qui se garda de préciser qu'il l'avait lui-même déjà interrogé.

Duncan redressa l'échine avec détermination, et tourna les talons.

La vigie était un jeune homme du nom de Lassen. Il était intelligent, en effet, et c'était d'ailleurs l'une des raisons qui lui avaient valu de décrocher ce poste de toute confiance. Un poste qu'ils étaient deux à se partager, se relayant quotidiennement au sommet de la grande tour.

Lassen était le dernier fils de McDermott, un excellent cavalier qui avait souvent déployé ses talents sur les champs de bataille. Physiquement, il ressemblait trait pour trait à son père. Roland l'avait convoqué tôt ce matin, et le garçon était arrivé en quelques minutes.

— Comment va ta femme, Isabel ? lui avait-il demandé pour le mettre à l'aise.

— Très bien, milord, merci. Elle vous salue. Ainsi que votre dame.

— À mon tour de te remercier. Car, grâce à toi, je pourrai en effet transmettre le salut de ton épouse à la mienne.

Lassen baissa les yeux et rougit – de fierté ou de confusion, Roland n'aurait su dire. Abandonnant le bureau de son père derrière lequel il était assis, il s'approcha de la fenêtre.

— Où était l'autre vigie, celui que tu étais censé relever ? Où était Dedrick Farrow ?

Lassen s'éclaircit la gorge, mais ne répondit rien. Roland attendit patiemment, lui tournant le dos. Dehors, un groupe de jeunes filles passait à travers champs. Et deux garçons couraient après un chien. Roland entendait Lassen s'agiter sur son siège.

Il attendit.

— Je suis désolé, milord, finit par lâcher Lassen.

Roland pivota vers lui.

— C'est-à-dire ?

Lassen lui opposa de nouveau un silence embarrassé.

— Es-tu au courant des sanctions pour abandon de poste ? s'enquit Roland d'une voix glaciale. Oui, bien sûr. Mais puisque tu n'étais pas en cause, tu n'as pas à t'inquiéter. En revanche, ajouta-t-il, rivant son regard sur celui du jeune homme, j'exige de savoir où se trouvait l'homme que tu étais censé remplacer.

— Ce n'était pas sa faute, milord ! se récria Lassen.

Roland laissa un autre silence s'installer.

— Le cheval de Dedrick a perdu un fer, milord, et il s'est mis à boiter moins d'un kilomètre après le château. Dedrick a été obligé de revenir, milord. Il fallait réparer le sabot en urgence.

Roland retourna à la fenêtre, pour méditer l'argument.

— Dès qu'il est rentré, il m'a demandé de partir à sa place. Ce que j'ai fait aussitôt. Voilà toute l'histoire.

— Combien de temps, à ton avis, la tour est-elle restée sans surveillance ?

— Pas plus de vingt minutes, milord.

Roland se retourna, le regard incisif.

— Disons trente minutes, corrigea Lassen en baissant les yeux. Mais pas plus, j'en suis certain.

Roland était convaincu qu'il disait la vérité. Trente minutes. Et c'était malheureusement dans cet intervalle que Kyla s'était rendue dans l'un des endroits les plus dangereux de l'île. Et que quelqu'un en avait profité. Mais Roland se promettait de faire payer son crime à ce « quelqu'un ».

Lassen n'avait rien vu, hélas. Dès qu'il avait repéré Kyla flottant dans l'eau, il s'était précipité à son secours. Il se souvenait vaguement d'avoir remarqué d'autres traces de pas dans le sable, mais il n'avait aperçu personne. Et de toute façon, son attention était focalisée sur Kyla. Roland pouvait difficilement lui en tenir rigueur…

Il avait renvoyé Lassen à son travail, se gardant bien de lui faire le moindre reproche. Le pauvre devait se sentir assez malheureux comme cela. Et après tout, c'était Lassen qui avait sauvé la vie de Kyla. Quand cette histoire serait terminée, Roland songerait à lui offrir une promotion.

Duncan interrogerait certainement l'autre vigie. Il vérifierait cette histoire de fer perdu en route, et essaierait de calculer au plus juste le laps de temps pendant lequel personne n'était à la tour pour y monter la garde.

Pour l'instant, trop de questions restaient en suspens. Mais Roland était convaincu d'une chose : Kyla courait un danger. Et il était prêt à tout pour la protéger.

Lorsqu'il remonta dans la chambre, Roland trouva Kyla assise sur le lit, avec l'air maussade de quelqu'un qui voudrait s'affranchir d'une tutelle pesante mais rencontre une résistance farouche.

— Je me sens très bien, disait-elle à Marla. J'aimerais marcher un peu.

Marla, qui touillait une décoction dans une tasse, secoua fermement la tête.

— Plus tard.

— Mais…

— Plus tard.

— Écoute Marla, elle est toujours de bon conseil, intervint Roland en s'approchant du lit.

Kyla, qui ne l'avait pas entendu entrer, sursauta.

— Franchement ! s'exclama-t-elle. Je voudrais juste faire quelques pas dans la chambre. Je ne vois vraiment pas quel danger pourrait me menacer ! À moins qu'une partie du plafond ne s'écroule sur ma tête, ou que l'une de tes épées accrochées aux murs ne se détache brusquement pour venir m'empaler !

— C'est une hypothèse suffisamment sérieuse pour que je ne te laisse pas prendre un tel risque, lui objecta Roland.

Avant qu'elle puisse répliquer, il se pencha pour effleurer son front de ses lèvres, ce qui la rendit muette de stupéfaction.

— Tu n'as plus de fièvre, remarqua-t-il.

— Mais elle a gardé tout son esprit, plaisanta Marla.

Elle avait terminé de touiller la décoction et tendit la tasse à Kyla.

Roland s'assit au bord du lit, tandis qu'elle avalait la potion, et regarda les rayons du soleil jouer avec la masse soyeuse de ses cheveux dans un feu d'artifice de couleurs chaudes.

Quand elle eut terminé, Marla récupéra la tasse et quitta la pièce en refermant la porte derrière elle.

Roland était monté sans idée particulière derrière la tête, sinon bien sûr celle de voir Kyla et s'assurer qu'elle se rétablissait. À présent il semblait avoir perdu sa langue, tant il s'abîmait dans la contemplation de la jeune femme. Il aurait pu rester ainsi à l'admirer toute sa vie.

Elle croisa son regard et il y lut de la défiance – probablement était-elle toujours furieuse qu'on restreigne ses mouvements. Mais très vite, son regard s'adoucit, et Roland y perçut autre chose, qu'il n'eut pas le temps d'identifier : elle baissa les yeux sur les couvertures.

— Je vais devoir t'apprendre à nager, dit-il.

Elle releva furtivement les yeux.

— Je sais nager, rétorqua-t-elle.

Il prit l'une de ses mains dans la sienne. Ses doigts étaient froids.

— Dans ce cas, je t'apprendrai à éviter que des inconnus ne t'assomment quand tu as le dos tourné.

Contre toute attente, elle esquissa un sourire. Roland en fut terriblement ému.

— Tu devrais essayer de me faire pousser des yeux derrière la tête, lui suggéra-t-elle.

— Pas question. J'en frissonnerais d'horreur.

Kyla se détendit un peu. Il semblait si calme, perdu dans la contemplation de leurs doigts entrelacés… Une fois de plus, cet homme la désarçonnait.

— Tu ne quitteras plus jamais le château sans escorte, déclara-t-il, parlant à leurs mains.

Kyla crut avoir mal entendu.

— Je ne dois plus quitter le château… ?

— Sans escorte.

— Mais c'est ridicule !

— C'est un ordre. Tu ne sortiras plus d'ici sans que quelqu'un t'accompagne. Et quand je dis *ici*, il s'agit de cette chambre. Cela concernera même tes pérégrinations à l'intérieur du château.

Kyla soupira d'exaspération.

— Je ne suis pas ton esclave !

— Certes non. Il n'empêche que tu feras comme je t'ai dit.

Elle voulut libérer sa main, mais il la tenait fermement. Leurs regards s'accrochèrent.

— Je serai intransigeant là-dessus, Kyla. Quelqu'un te suivra partout où tu te rendras dans la forteresse. Et si tu désires en sortir, tu devras d'abord me demander la permission. Ce sera à moi de décider si cela est possible ou non.

— C'est une plaisanterie !

— Tu devrais assez bien me connaître, à présent, pour comprendre que je ne plaisante pas.

— Mais c'était… un accident ! Ou une mauvaise rencontre. Un étranger. Un voleur, sans doute !

— Il n'y a pas d'étrangers sur Lorlreau. Et ce n'était pas un accident. Personne ne s'empare accidentellement d'un morceau de bois pour assommer une comtesse.

C'était une telle évidence que Kyla ne vit rien à répliquer à cela.

— Nous ne savons toujours pas ce qui s'est exactement passé, Kyla. Tant que… cette personne n'aura pas été appréhendée, tu suivras mes ordres. Ta sécurité est de ma responsabilité. Et je n'ai pas besoin de te rappeler ce qui est arrivé à ta mère.

Il laissa ces derniers mots flotter dans l'air, ne sachant pas très bien lui-même ce qu'il avait voulu dire par là, mais convaincu que l'argument impressionnerait Kyla.

— Tu ne peux pas m'obliger à vivre en prisonnière, lâcha-t-elle finalement.

— Si, répliqua-t-il sans hésitation.

— Mais à supposer qu'on ne trouve jamais « cette personne » ?

— Dans ce cas, j'espère que tu finiras par apprécier la compagnie de tes gardes.

Là-dessus, Roland relâcha sa main, se releva et lui embrassa le front. Tout avait été si vite que Kyla n'eut pas le temps de réagir. Il quitta la pièce avant qu'elle ait pu émettre de nouvelles protestations.

Elle l'entendit échanger quelques mots avec le garde en faction derrière la porte, puis ce fut le silence. Elle était seule.

La tisane de Marla l'assoupissait déjà. Kyla regrettait presque de l'avoir bue : elle aurait préféré disposer de toute son énergie pour exprimer sa colère, plutôt que de s'endormir lamentablement !

Roland exerçait sur elle son autorité avec un peu trop de facilité. Il suffisait de presque rien : une injonction par-ci, un ordre par-là... Il était habitué à commander, c'était évident. Kyla ne l'imaginait pas sans cette aura de puissance qui semblait l'envelopper et qui réduisait les gens du commun à sa merci.

Sauf que Kyla n'appartenait pas au commun. Et qu'elle n'avait pas peur de lui. En outre, il n'était pas son « maître », quoi que pussent prétendre les lois du mariage, et quoi que lui-même s'imaginât.

Avant de sombrer dans le sommeil, la jeune femme eut cependant une dernière pensée qui supplanta toutes les autres : Roland voulait la protéger.

Il s'inquiétait pour elle. Cela, du reste, se lisait dans son regard. Il s'inquiétait vraiment.

C'était donc la preuve qu'il tenait à elle. Au moins un tout petit peu.

Kyla s'endormit le cœur plus léger.

12

L'armoire se révéla cent fois plus lourde qu'elle ne le paraissait, si bien que Kyla grimaçait sous l'effort en voulant la déplacer.

Heureusement, la jeune femme s'aperçut qu'il était inutile de la pousser beaucoup pour accéder à la porte dérobée ménagée dans le mur, qui donnait sur le passage où l'attendaient Elysia et Matilda.

Elle prit son temps, de peur d'alerter le garde en faction devant sa chambre.

Après quatre jours de confinement, elle n'en pouvait plus et n'avait qu'une hâte : s'échapper. Elle ignorait où la conduirait ce passage, et n'en avait cure. Marla avait fini par admettre qu'elle était en état de quitter son lit, mais Roland n'avait rien voulu savoir.

C'était intolérable. On la traitait comme une enfant, incapable d'autonomie, alors qu'elle avait traversé les rivières et les montagnes de l'Écosse et avait, durant des semaines, chassé et pêché pour survivre sans l'aide de quiconque.

Et Roland, la nuit, la serrait dans ses bras avec un luxe de précautions. Craignait-il que le moindre mouvement brusque ne la réduise en miettes comme une figure de porcelaine ?

Le garde, dans le couloir, ne bougeait pas. C'était donc qu'il ne se doutait pas de la mutinerie à l'œuvre.

— Vous y arrivez, tante Kyla ? murmura Elysia depuis le passage.

Durant ces quatre jours, Kyla n'avait reçu que peu de visites, en dehors de Marla et de Roland : les enfants, et une fois Seena et Harrick. Kyla se sentait si seule qu'elle aurait été ravie de converser avec le diable en personne, mais Roland, là encore, décidait à sa place de qui pouvait la voir. Elysia passait deux fois par jour, mais quand la fillette avait exprimé le désir de venir davantage, Roland avait décrété qu'il n'était pas question d'épuiser sa femme avec des enfantillages.

Kyla avait une idée assez précise de qui se montrait le plus puéril, et ce n'était certainement pas Elysia !

Roland, en revanche, s'invitait dans sa chambre à tout propos, regardait autour de lui avec méfiance, et la questionnait encore et encore sur son agression, jusqu'à ce qu'elle lève les bras dans un mouvement d'exaspération. Non, elle ne se rappelait rien d'autre que ce qu'elle lui avait déjà répété des dizaines de fois ! Mais c'était à croire qu'il ne l'entendait même pas.

La nuit dernière, il avait entrepris de l'embrasser doucement, réveillant aussitôt en elle le désir qu'il lui inspirait. Elle s'était tournée vers lui, avide de ses caresses, sachant à présent ce qui viendrait après les baisers, impatiente de le revivre. Il lui avait embrassé les tétons à travers le tissu de sa chemise de nuit, les mordillant légèrement, et elle avait renversé la nuque sur l'oreiller, laissant échapper un gémissement de plaisir.

Mais il s'était arrêté là. Brutalement.

Comme si le son de sa voix avait suffi à briser l'enchantement. Il s'était redressé, la regardant comme s'il la découvrait pour la première fois, vaguement désarçonné. Kyla avait retenu son souffle. Elle ne voulait pas croire que c'était déjà fini. Et pourtant, si.

Roland avait secoué la tête – sans doute sa manière de répondre à une interrogation qu'il s'était formulée intérieurement –, puis il avait roulé sur le côté, laissant entre eux une distance polie.

Kyla était trop fière pour lui demander de continuer. Mais elle avait mis très longtemps à se rendormir.

Et ce matin, juste avant de quitter la chambre, il avait décrété qu'il n'était pas question, pour l'instant, qu'elle sorte du lit. Marla, qui se trouvait présente à ce moment-là, avait échangé un regard avec Kyla, puis haussé les épaules. Kyla était restée à ruminer sa frustration, contemplant le mur en face d'elle.

Aussi, quand en début d'après-midi Elysia était venue lui rendre visite, Kyla avait exprimé son vœu de pouvoir s'échapper par les passages secrets. Matilda, qui était là également, avait fait remarquer que l'armoire n'était sans doute pas aussi lourde que cela. Et tout s'était enchaîné.

Matilda s'était révélée optimiste. Il fallut à Kyla plus d'une demi-heure pour déplacer l'armoire de la distance suffisante. La porte, inutilisée depuis des années, grinça sur ses gonds.

— Tante Kyla ? appela encore Elysia, sa voix semblant flotter dans la pénombre comme celle d'un spectre.

— Oui, répondit Kyla. J'arrive tout de suite.

Elle resserra ses jupes autour d'elle et se faufila entre l'armoire et l'ouverture du mur. L'instant d'après, elle se retrouvait face aux deux fillettes. Le trio éclata de rire de la bonne farce qu'il venait de jouer.

— Filons, maintenant, dit Matilda qui brandissait une torche.

Elysia prit Kyla par la main.

— Je vais vous guider, tante Kyla.

Les pierres étaient froides au toucher, mais Kyla ne vit nulle trace de poussière ou de toiles d'araignées. Sans doute parce que ces passages demeuraient toujours très fréquentés, songea-t-elle.

D'ailleurs, elle pouvait entendre des voix – des voix d'adultes – résonner sur les parois.

Elysia et Matilda les avaient entendues également. Elles s'arrêtèrent, hésitantes.

— Par là, décida Matilda en bifurquant sur la droite.

L'espace s'était rétréci, et Kyla était à présent obligée de courber la tête pour ne pas accrocher la voûte. L'air était plus humide, aussi. Et, au-delà du halo lumineux de la torche, on ne voyait qu'un océan d'obscurité. Mais les deux fillettes ne semblaient nullement impressionnées. Mieux, elles souriaient! Et Matilda se retournait souvent pour s'assurer que Kyla goûtait, comme elles, l'aventure.

— Où allons-nous? se risqua finalement à demander celle-ci, au bout d'un quart d'heure de déambulations dans les entrailles de la forteresse.

— À la nursery, bien sûr, répondit Elysia du ton de l'évidence. Nous y sommes presque.

Elles entendirent de nouveau des voix, mais étouffées, et qui ne résonnaient plus cette fois dans les galeries mais provenaient de derrière les murs.

Deux voix d'hommes. Qui se querellaient. Tout à coup, Kyla entendit prononcer son nom.

— Attendez ! murmura-t-elle à ses deux compagnes, s'immobilisant.

Et elle porta son index à ses lèvres pour les inviter au silence. Matilda hocha la tête. Elysia écoutait déjà avec attention.

— … Tu t'es montré trop impulsif, disait le premier homme. Tu as tout compliqué.

— Elle était seule. J'ai vu ma chance. Mais la vigie est arrivée trop vite ! se défendit l'autre.

Son compagnon l'interrompit, furieux ou dégoûté, Kyla n'aurait su le dire. Car les voix s'éloignaient à présent, et bientôt on n'entendit plus rien.

Kyla demeurait immobile, le cœur battant, se demandant quoi faire. Elle se rappela qu'on avait fouillé dans son coffre à vêtements le jour de son arrivée. Et qu'elle s'était sentie suivie dans les couloirs du château. Des ennemis la poursuivaient. À présent, elle connaissait leurs voix – du moins, deux voix. Restait à découvrir leurs visages.

Elysia palpait le mur, cherchant des doigts la pierre qui bougerait à son contact.

— Non ! s'exclama Kyla, comprenant ce qu'elle voulait faire.

Mais la porte dérobée s'ouvrait déjà. Cette fois, sans aucun bruit.

Elle donnait sur une pièce déserte.

Kyla poussa les deux fillettes de côté.

— Je veux que vous restiez ici, leur dit-elle. Promettez-moi de ne pas bouger.

Matilda, s'inclinant devant son ton autoritaire, acquiesça sans un mot.

— Avez-vous apporté votre dague, tante Kyla ? s'enquit Elysia.

Non, bien sûr. Kyla n'y avait pas songé un seul instant, ne pensant courir aucun danger. La dague était dans sa chambre.

— Ne vous inquiétez pas, ajouta Elysia comme si elle avait deviné ses pensées. Vous n'en aurez pas besoin pour aujourd'hui. Et nous vous attendrons ici.

— Je reviens le plus vite possible, leur chuchota Kyla.

Avant de perdre courage, elle pénétra dans la pièce. Ses yeux mirent quelques instants à accommoder, en raison de la lumière du jour, qui provenait de deux grandes fenêtres.

La pièce était sommairement meublée : une table ronde et des chaises au centre, une autre table plus petite contre un mur, une cheminée avec des cendres froides dans l'âtre. Kyla s'assura d'un coup d'œil qu'elle était bien seule. Oui. Du reste, rien ne laissait deviner qu'il s'était trouvé récemment quelqu'un ici. Les chaises étaient soigneusement rangées et aucune coupe vide ne trônait sur la table. En revanche il y avait un échiquier, prêt pour une partie.

Bien sûr, s'il s'agissait de réunions clandestines, ces deux hommes n'étaient pas assez idiots pour laisser derrière eux des traces de leur présence. Or, Kyla se doutait bien que ceux qui souhaitaient la tuer désiraient agir en toute discrétion.

En même temps, elle ne comprenait pas qu'on cherche à la supprimer. Qui ? Et pourquoi ? C'était si déroutant qu'elle préféra ne pas s'appesantir sur la question pour l'instant.

Prudemment, elle s'avança vers la seule porte constituant une issue, restée entrouverte. Instinctivement, sa main se porta vers sa ceinture. Pourquoi n'avait-elle pas eu la présence d'esprit de prendre la dague avec elle ? Mais maudire sa stupidité ne lui serait d'aucune aide dans l'immédiat. Au passage, elle se saisit de l'une des pièces en marbre de l'échiquier. La reine, la pièce la plus lourde qu'elle put trouver, et qui était à peu près de la taille de sa main.

Certes, c'était une arme bien dérisoire. Mais c'était mieux que rien.

Elle n'entendait plus aucune voix, à présent. La porte l'attirait irrésistiblement : une fois dans le couloir, elle saurait sans doute quelle direction prendre. Elle éprouvait une sensation étrange, comme si elle était en partie détachée d'elle-même et s'observait marcher sur la pointe des pieds, l'oreille aux aguets.

Kyla risqua la tête par l'entrebâillement de la porte. Le couloir était sombre, évidemment, comme tous ceux de cette forteresse. Cependant, elle distingua deux silhouettes qui s'éloignaient – deux hommes. L'un parlait à l'autre, et elle reconnut l'une des voix de tout à l'heure. En revanche, ses paroles étaient inaudibles.

La reine faillit lui échapper : sa main était moite. Elle la transféra dans son autre main et s'essuya la paume sur sa robe, avant de la reprendre et de se glisser dans le couloir.

Les deux hommes n'étaient plus que de vagues ombres. Mais Kyla voulait absolument tenter de les voir de plus près, afin d'être capable de les reconnaître plus tard.

Elle courut presque dans le couloir. Heureusement, elle portait une robe de fine laine, un tissu qui ne bruissait pas et n'alourdissait pas ses mouvements. Elle l'avait revêtue avec l'idée que cette tenue serait plus pratique pour explorer les passages secrets. Mais elle n'aurait pas imaginé un instant qu'elle prendrait en chasse deux hommes qui voulaient sa perte !

Et pourquoi, d'abord ? Qu'avait-elle fait pour mériter la mort ? Dès l'instant où Kyla avait posé le pied sur cette île, son existence s'était trouvée menacée. D'abord, on avait fouillé dans ses affaires. Puis on l'avait suivie dans les couloirs. Ensuite, on l'avait assommée sur la plage. Depuis le début, ces gredins attendaient l'occasion de la supprimer.

Ils avançaient toujours devant elle, inconscients de sa présence, et Kyla les suivait avec une rage grandissante – sa vieille alliée lui revenait et lui insufflait son énergie. Qui étaient ces hommes qui avaient décidé de la tuer ?

Ils avaient atteint l'extrémité du couloir et ils obliquèrent sur la gauche. Un rai de lumière les éclaira, si bien que Kyla put mieux les distinguer. L'un avait les cheveux très noirs, l'autre châtains. Mais, hélas, elle ne vit pas leurs visages.

Sans bruit, elle avança jusqu'au bout du couloir, relevant ses jupes pour aller plus vite. Puis elle s'arrêta juste au coin, afin de jeter discrètement un coup d'œil.

Cet autre couloir débouchait sur la cour intérieure – c'est de là que provenait la lumière. Et la cour était comme toujours très animée, traversée d'hommes et de femmes de toutes tailles, de toutes couleurs de cheveux, qui vaquaient à leurs occupations.

Kyla soupira de frustration. Elle avait perdu la trace des deux inconnus. Autant chercher une aiguille dans une botte de foin. Adossée au mur, les yeux clos, elle serra convulsivement la reine dans ses doigts, pour chasser sa colère.

Le mieux était de retourner auprès des filles. En rouvrant les yeux, elle constata qu'elle avait attiré l'attention sur elle. Et ce n'était guère étonnant : elle devait paraître étrange, leur comtesse, les cheveux défaits, l'air un peu hagard et serrant une reine d'échiquier dans sa main !

Elle rebroussa chemin.

Le couloir lui sembla plus long au retour, en particulier avec toutes ces portes qu'elle n'avait pas remarquées lorsqu'elle poursuivait les deux hommes. Par laquelle était-elle arrivée ? Et ne l'avait-elle pas déjà dépassée ?

Non ! Car à présent, juste sur sa gauche, lui parvenait une voix qu'elle ne reconnaissait que trop bien.

— Quand ? interrogeait Roland derrière la porte d'un ton de commandement. Depuis combien de temps vous a-t-elle quittées ?

— Elle va revenir, répondit Elysia avec certitude. Elle voulait juste identifier les vilains messieurs.

Kyla hésita à pousser la porte. Elle n'avait aucune envie d'affronter Roland alors qu'il était manifestement de mauvaise humeur. Mais elle perçut un bruit de sanglots – Matilda, probablement.

— Je pars à sa recherche, annonça une autre voix, et Kyla crut reconnaître Duncan. Je prendrai plusieurs hommes avec moi et nous la retrouverons rapidement.

— Ne vous donnez pas cette peine, lança Kyla en faisant irruption dans la pièce.

Mais, prudente, elle resta près du seuil.

— Ne tourmentez pas davantage ces enfants, ajouta-t-elle. Elles ne sont en rien fautives.

Roland était agenouillé devant les fillettes. Il se redressa lentement, comme s'il cherchait à contrôler ses émotions avant de lui faire face. Son expression était indéchiffrable, et Kyla n'aurait su dire s'il était furieux après elle ou soulagé de la revoir saine et sauve. Mais son regard était glacial.

— Je vous l'avais bien dit, fit Elysia avec son assurance coutumière.

— C'est vrai, concéda Roland, très calmement.

Mais Kyla ne se laissa pas abuser par son apparence débonnaire. Réalisant qu'elle serrait toujours la reine dans sa main, elle la glissa dans sa poche.

Duncan se tenait près de l'ouverture du mur.

— Ramène les filles dans la nursery, lui ordonna Roland.

Duncan s'exécuta aussitôt, entraînant les fillettes avec lui dans le passage.

Kyla se retrouva seule avec Roland, sans savoir comment réagir. Je n'en mène pas large, se dit-elle. Mais à peine eut-elle formulé ce constat qu'elle redressa l'échine et fixa son mari sans ciller. Il n'était pas question qu'elle se laisse impressionner.

Roland s'approcha de la table où était disposé le jeu d'échecs. Il promena un instant les doigts sur l'échiquier, puis s'arrêta sur la case où aurait dû figurer la reine.

Il releva les yeux.

— Une partie ? suggéra-t-il.

— Pardon ?

Il tira l'un des sièges et s'assit.

— Veux-tu jouer avec moi ?

Il paraissait on ne peut plus sérieux. Kyla fit quelques pas dans sa direction, se demandant lequel d'entre eux était fou. Il attendait, lui désignant le siège opposé au sien d'un air d'affable courtoisie.

Elle se laissa tomber sur la chaise.

— Tu prends les blancs ou les noirs ?

Kyla, la gorge nouée, demeura muette.

— Je propose que tu prennes les noirs, enchaîna-t-il, puisqu'ils sont déjà de ton côté.

Il plaça l'échiquier au milieu de la table, et posa de nouveau son doigt sur la case vide.

— Par contre, reprit-il, j'aurais besoin de ma reine.

Kyla comprit qu'il savait qu'elle la détenait. Elle la sortit de sa poche et la lui tendit.

— Merci.

— De rien.

Il remit la reine à sa place, puis avança un pion.

— Comme arme, on fait mieux, commenta-t-il.

Kyla devina qu'il parlait de la reine, mais son ton n'était nullement accusateur. Du coup, elle osa le regarder droit dans les yeux.

Il la dévisageait attentivement, comme un savant qui aurait découvert une nouvelle espèce d'insecte. Kyla se redressa sur sa chaise.

— C'est tout ce que j'ai pu trouver sur l'instant, répliqua-t-elle.

— Je m'en doute.

Kyla le regarda, cherchant à percer ce qu'il pensait vraiment. Il haussa les sourcils.

— C'est à toi de jouer…

Elle déplaça un pion pour contrer le sien. Il médita le coup, se frottant le menton. La lumière tombant des fenêtres soulignait la beauté ensorcelante de son visage. Ses doigts caressaient un cavalier.

— Je suppose que tu te sentais tout à fait rétablie pour sortir de ton lit, dit-il, ses lèvres esquissant ce qui pouvait ressembler à un sourire – ironique ? taquin ?

— En effet.

— Tu m'en vois très heureux.

Kyla eut beau l'observer avec attention, elle ne put discerner aucun sens caché derrière ces paroles. Il semblait sincère.

Finalement, il lâcha le cavalier pour avancer le pion qu'il avait déjà joué en ouverture.

Kyla ne savait plus quoi penser. Elle s'était attendue à un éclat pour avoir désobéi à ses ordres. Et le regard glacial qu'il lui avait lancé à son entrée dans la pièce était venu confirmer cette crainte. Mais depuis, il s'était comporté tout à fait calmement.

— C'est à toi de jouer, lui fit-il remarquer.

Elle déplaça un autre pion. En relevant les yeux, elle s'aperçut qu'il la dévisageait. Elle voulut soutenir son regard mais, trouvant quelque peu absurde ce petit jeu, préféra baisser les yeux.

— Tu m'impressionneras décidément toujours, dit-il, s'adossant à son siège. L'armoire avait été choisie en raison de sa taille et de la difficulté à la déplacer.

Kyla s'absorba dans la contemplation de sa manche.

— J'aurais dû la fixer au plancher, reprit-il d'un ton badin. Mais la vérité, c'est que je n'ai jamais voulu bloquer complètement l'accès au passage. Je me disais qu'un jour, ça pourrait servir à quelqu'un. Manifestement, tu en as profité.

Des motifs avaient été brodés sur sa manche. Des feuilles de chêne. L'effet était ravissant.

Roland déplaça brutalement son cavalier, balayant deux pions au passage. Kyla, surprise, sursauta.

— J'ai nourri quelque… (Il cherchait le mot juste.)… quelque *inquiétude*, quand je suis entré dans notre chambre et que j'ai constaté ta disparition.

Il serrait toujours le cavalier dans ses doigts. Kyla déglutit péniblement.

— Tu t'es inquiété pour rien, répliqua-t-elle.

— Rien, vraiment ? Outre que ma femme me désobéit délibérément, elle entraîne deux enfants dans une aventure dangereuse, et cela n'est rien ? Certes, ma femme a reçu récemment un méchant coup sur la tête. On peut supposer que sa raison en a été altérée. Elle n'a pas pensé un seul instant qu'elle risquait de se perdre dans ce labyrinthe. Certains passages conduisent tout droit à l'océan. Et d'autres débouchent dans les caves creusées sous le château. Le savais-tu ?

— Non, je ne…

— Non, bien sûr, la coupa-t-il sèchement. Et tu n'as pas non plus pensé que tu courais le danger d'être à nouveau agressée.

— Roland, essaie de comprendre…

Il lança le cavalier contre le mur avec une telle force qu'il se brisa en mille morceaux. Stupéfiée par cette explosion de violence, Kyla ne put retenir un cri.

La main de Roland tremblait légèrement. Il la contempla avec incrédulité, comme si elle avait agi de son propre chef.

Kyla, médusée, avait porté sa propre main à sa bouche. Finalement, Roland reporta son regard sur elle.

— C'est toi qui ne peux pas comprendre, dit-il d'une voix étrange. Les ténèbres…

Kyla demeurait interdite. Roland, d'une certaine manière, la terrifiait. Mais d'un autre côté, elle aurait voulu le réconforter. De quoi parlait-il donc ?

Il détourna la tête, mais elle eut le temps d'apercevoir sa grimace de douleur – ou de chagrin. Puis, semblant émerger d'une transe, il se releva et se dirigea vers l'ouverture du mur.

— Viens, dit-il.

Sa voix était redevenue normale, mais le ton était à nouveau celui du commandement. Et il tendait une main vers elle.

Kyla s'arma de courage pour lui tenir tête.

— Il n'est pas question que je garde la chambre un jour de plus, annonça-t-elle en croisant les bras. Je ne suis pas malade. Et je ne risquais pas de me perdre dans les passages : les filles les connaissent par cœur. J'ajoute que personne ne m'a attaquée…

Il resta muet, attendant sans doute qu'elle finisse par réaliser que ses arguments ne tenaient pas la route. Mais il n'était pas question qu'elle capitule.

— Je les ai vus, Roland. J'ai vu mes agresseurs. Ils étaient deux.

Il vrilla son regard au sien, tous ses sens en alerte.

— Tu as vu leurs visages ?

— Non, pas leurs visages, malheureusement, avoua-t-elle. Mais je les ai suivis à bonne distance, et je connais maintenant leur voix, leur taille, et la couleur de leurs cheveux.

— Et que comptes-tu faire de ces précieux éléments ?

— Ce soir, au dîner, j'observerai soigneusement tous les convives. Car il y aura tout le monde, n'est-ce pas ?

— Tout le monde, sauf toi, précisa-t-il sans sourire.

Cette fois, c'en était trop.

— Je descendrai dîner, ou tu devras me ligoter pour m'en empêcher! explosa-t-elle.

— Ne me tente pas, Kyla!

Elle se releva si brusquement que sa chaise bascula en arrière.

— Tu ne peux pas m'interdire de me déplacer à ma guise!

— Tu n'as aucune idée de ce dont je suis capable, rétorqua-t-il d'une voix glaciale. Je t'interdirai tout ce que je voudrai.

— Pourquoi fais-tu cela, Roland? Pourquoi te montres-tu aussi…

Elle s'interrompit : des sanglots montaient dans sa gorge. Comment avait-elle pu perdre ainsi le contrôle d'elle-même?

Roland la regardait, imperturbable.

— Pourquoi, oui? répéta-t-il pour lui-même, sardonique.

Kyla serrait les dents pour ne pas pleurer.

— Bon, d'accord, reprit-il. Tu as gagné. Descends dîner. Et offre-toi en cible à tout le monde.

Kyla secoua la tête.

— Ne t'inquiète pas. Je viserai la première.

— Merveilleux, dit-il.

Mais à son ton, il était évident qu'il fallait comprendre : « Nous courons à la catastrophe. »

La cuisinière, prise de court par la présence de la comtesse à la table du dîner, avait cependant tenu à lui préparer un mets destiné à lui faire plaisir.

— Du gruau… murmura Kyla, effondrée, en touillant la bouillie grisâtre avec sa cuiller.

— La cuisinière s'imagine que vous avez l'estomac fragile, depuis votre agression, commenta Marla assise à sa gauche, avant de mordre de bon appétit dans son poulet rôti aux herbes sous l'œil envieux de Kyla. Si vous ne le mangez pas, elle sera horriblement déçue.

Elysia, assise à droite de Kyla, tira sur sa manche pour attirer son attention. Quand Kyla se tourna, la fillette, l'air de rien, caressa la tête d'un mastiff couché à ses pieds.

Kyla regarda discrètement autour d'elle. Marla parlait avec Harrick. Roland avait rejoint la table de Duncan pour s'entretenir avec son capitaine. Il lui tournait le dos.

La jeune femme s'empressa de glisser son bol de gruau sous la table pour le tendre au chien. Celui-ci, ravi de l'aubaine, avala son contenu en quelques secondes.

Puis elle reposa le bol vide sur la table.

— Et maintenant, du poulet pour tante Kyla ! s'exclama Elysia à l'intention des serviteurs.

La grande salle du château était pleine à craquer, et les voûtes résonnaient du brouhaha des rires et des conversations. Comment Kyla parviendrait-elle à repérer les deux hommes qu'elle cherchait parmi cette foule ?

Roland pivota pour la chercher des yeux. Kyla accrocha son regard juste au moment où une assiette de poulet était déposée devant elle. Elle secoua discrètement la tête, pour lui faire comprendre qu'elle n'avait toujours pas pu identifier ses agresseurs. Il retourna à sa conversation avec son capitaine.

Apparemment, elle n'était pas la seule à surveiller l'assistance. En y regardant de plus près, elle s'aperçut qu'une poignée de soldats, postés près des trois entrées de la pièce, scrutaient les convives avec la même acuité. En outre, ils échangeaient régulièrement des regards entre eux, ou avec Roland et Duncan.

La tâche n'était pas aisée. Beaucoup d'hommes avaient les cheveux noirs, ou châtains. Et le tumulte des voix empêchait d'en discerner une en particulier.

Cependant, Kyla fixa son attention sur l'un des convives. Un homme ordinaire, en tout cas un soldat, d'après ses habits – il portait une tunique de toile grossière. Peut-être un paysan. Certes, il avait les cheveux noirs, mais rien ne semblait le distinguer des autres, sinon la manière qu'il avait de parler avec la femme assise à côté de lui. Ses gestes – notamment sa façon de hausser les épaules – intriguaient Kyla, car elle leur trouvait un air vaguement familier.

Malheureusement, il était impossible de trancher. Les indices étaient trop minces. Elle ne pouvait quand même pas accuser cet homme pour quelques tics de comportement. Si seulement elle entendait sa voix…

Elle se levait déjà de table, dans l'idée de s'approcher innocemment de l'homme, lorsque l'on s'agita près de l'entrée principale. Des soldats s'étaient précipités vers quelqu'un qui tentait de pénétrer dans la salle.

Finalement, après discussion, ils laissèrent entrer le visiteur. Celui-ci marcha droit jusqu'à Roland et le salua respectueusement.

Kyla ignorait tout de lui, mais elle remarqua qu'il était vêtu chaudement pour la saison. En outre, ses vêtements avaient reçu des éclaboussures – sans doute venait-il d'arriver par bateau.

Marla, se méprenant sur la raison qui avait poussé Kyla à se lever, lui prit le bras pour l'inciter à se rasseoir.

— Ne vous inquiétez pas. C'est John Campbell, l'un des espions de lord Strathmore. Il apporte des nouvelles de Londres.

Après un bref conciliabule, Roland, Campbell et Duncan quittèrent la salle.

— Je me demande ce qui se passe, murmura Marla.

Harrick lui sourit d'un air entendu.

— Je suis sûr que tu parviendras très vite à le découvrir.

— Je l'espère bien, acquiesça Marla.

Kyla s'alarma vaguement.

Cinq minutes plus tard, les trois hommes revinrent et se dispersèrent. Duncan retourna à sa table, Campbell se joignit à un groupe de jeunes gens et Roland regagna la table d'honneur. Le bruit des conversations s'atténua quelques instants, avant de repartir de plus belle.

— Quelles sont les nouvelles, milord? s'enquit Marla dès que Roland eut repris sa place sur le banc.

Roland étreignit la main de Kyla dans la sienne. Il ne dit rien, mais la jeune femme le sentit inquiet. Sa propre anxiété monta d'un cran.

— Quelles sont les nouvelles? demanda-t-elle à son tour.

— Mon agent rentre à l'instant de Londres, répliqua-t-il, le regard perdu dans le vide comme s'il était absorbé dans ses pensées. Il n'a pu glaner aucune information nouvelle sur la mort de ta mère. En revanche, il est survenu un événement dont je dois t'informer. Il semblerait que lady Élisabeth de Corbeau se soit suicidée.

Kyla sursauta. Lady Élisabeth ? Suicidée ? Elle secoua la tête, incrédule.

— C'est pourtant la vérité, confirma Roland. Elle était, paraît-il, mélancolique.

Kyla revoyait lady Élisabeth la congratulant pour son mariage avec un franc sourire. Lady Élisabeth lui faisant porter une pleine garde-robe alors qu'elle n'avait plus rien à se mettre. Lady Élisabeth qui avait été l'une des plus proches amies de sa mère…

Kyla connaissait à peine cette femme, mais la nouvelle de sa mort lui causa un choc. Une autre personne de l'entourage de sa mère disparaissait.

— Elle s'est ôté la vie… murmura Marla d'une voix triste et songeuse.

— Mais elle a gagné la paix, intervint Elysia d'un ton ferme, s'attirant l'attention de tout le monde.

Kyla commençait à comprendre que les commentaires de la fillette recelaient presque toujours des significations cachées. Mais, cette fois, elle échoua à trouver laquelle, et elle n'osa pas poser de questions.

Le repas s'achevait. Le temps que Kyla ait repris ses esprits pour s'intéresser de nouveau à l'homme aux cheveux noirs, la salle s'était à moitié vidée et les domestiques commençaient à débarrasser.

Harrick était parti. Marla reconduisait Elysia dans la nursery, avec les autres enfants.

Roland, en revanche, était resté auprès d'elle. Il avait fini de manger mais savourait son vin, le regard toujours perdu dans le vide.

Kyla n'avait pas envie de regagner tout de suite sa chambre. Peut-être parce que n'ayant plus goûté à la liberté pendant près d'une semaine, elle n'était pas disposée à se laisser déjà enfermer. Ou peut-être parce qu'elle était trop ébranlée pour supporter de se retrouver toute seule, à méditer entre quatre murs.

Pour tout avouer, elle désirait la compagnie de quelqu'un. Et, pour être plus précise, la compagnie de Roland.

Devait-elle le distraire de ses pensées pour s'ouvrir à lui de ses soupçons sur l'un de ses agresseurs potentiels ? Avant qu'elle ait pu trancher la question, il se tourna vers elle :

— Que dirais-tu d'aller contempler les étoiles ?

Kyla acquiesça. Sans hésitation.

Il l'entraîna dans une sorte de salon aux murs ornés de tapisseries. Mais Kyla remarqua surtout la grande fenêtre qui dominait le paysage. Serait-ce là leur observatoire ?

Roland s'approcha de la cheminée et poussa du pied un dragon en fer, à la mine patibulaire, qui trônait à la base du foyer.

Aussitôt, une section du parquet s'ouvrit, comme par magie, révélant une volée de marches qui disparaissait dans l'obscurité.

Il s'amusa de la mine stupéfaite de la jeune femme.

— L'un de mes ancêtres nourrissait une passion pour les passages secrets, dit-il.

Les marches étaient hautes et étroites. Kyla dut faire très attention en les descendant, pour ne pas s'affaler sur son mari qui la précédait. Quand il eut atteint une sorte de palier, il se retourna pour l'aider dans les dernières marches, puis il manœuvra une poignée fixée à l'un des murs.

L'ouverture au-dessus de leurs têtes se referma, les plongeant dans une obscurité totale.

Mais Roland ne restait pas inactif. Kyla l'entendait s'agiter, plus bas qu'elle – sans doute s'était-il agenouillé. Il y eut comme un bruit de pierre à briquet, et presque aussitôt surgit une étincelle. Kyla put alors le voir qui s'affairait par terre. Une autre étincelle jaillit, qui cette fois se prolongea en une petite flamme. Il venait d'allumer une lampe à huile.

— Tu voulais voir les passages, n'est-ce pas ? dit-il, brandissant la lampe. Alors suis-moi, comtesse, ajouta-t-il avec un sourire de conspirateur.

La pâle lumière de la lampe révéla une seconde volée de marches.

— Je croyais que nous devions contempler les étoiles, protesta timidement Kyla.

— Nous y allons.

Sur cette réponse sibylline, il commença de descendre les marches, et Kyla fut bien obligée de le suivre.

La voûte à présent était plus haute, mais les marches toujours aussi périlleuses, si bien que Kyla devait garder une main sur le mur afin de préserver son équilibre. De temps à autre, Roland se retournait pour lui jeter un regard, et il avait un petit air taquin qu'elle ne lui connaissait pas. Encore une autre facette de l'homme qu'elle avait épousé…

Plus ils descendaient, plus la température fraîchissait. Kyla commençait à fatiguer de devoir redoubler de prudence à chaque marche. Quand l'escalier se termina enfin, débouchant sur un corridor, elle soupira de soulagement.

Les pierres du couloir étaient humides. L'air semblait salé. Et Kyla entendait un murmure étrange. Elle réalisa tout à coup que c'était le bruit des vagues venant se briser sur des rochers.

Une lueur, devant eux, semblait marquer la fin de leur périple. Soudain, Roland s'immobilisa, et Kyla n'en crut pas ses yeux.

L'instant d'avant, ils étaient encore enveloppés par des pierres sombres et humides. Et voilà qu'ils débouchaient sur une plage, sous la voûte infinie des cieux.

Roland lui prit la main et leva les yeux. Kyla l'imita. Des milliers d'étoiles brillaient au firmament et se noyaient, à l'horizon, dans les flots argentés de l'océan.

Une petite brise agréable agitait la surface des flots.

Kyla se fit la réflexion qu'ils redevenaient, sur cette plage isolée, deux personnes ordinaires. Un homme et une femme qui se tenaient normalement la main. Comme s'ils s'étaient mariés par amour. Alors que dans la vraie vie, leur relation était toujours un peu étrange, malgré les efforts qu'ils déployaient chacun de son côté pour aplanir les difficultés. Ici, ils étaient n'importe qui. Des anonymes sans histoire.

Mais, en contemplant le profil acéré de Roland, son regard indéchiffrable, elle comprit qu'elle se faisait des illusions. Il demeurerait toujours Roland, comte de Lorlreau, un homme énigmatique.

Quant à elle… Qui était-elle au juste, en cet instant précis ? Kyla de Rosemead, qui avait juré de se venger de son ennemi lord Strathmore, l'« Âme damnée du roi » ? Ou la comtesse de Lorlreau, sa nouvelle épouse, supposée lui obéir et… supposée l'aimer ?

Les étoiles, malheureusement, ne pouvaient lui fournir aucune réponse. Et Kyla avait l'impression d'être un peu ces deux femmes à la fois, partagée entre deux mondes qui ne pouvaient pas s'accorder. Ce dilemme lui pesait et l'étouffait.

Aussi, quand Roland posa sa lampe sur le sable pour l'attirer dans ses bras, elle ne songea pas à lui résister. Elle ne voulait pas, ce soir, donner prise au conflit intérieur qui la déchirait.

Elle s'abandonna à ses baisers, et les lui rendit au centuple. Elle le laissa la caresser, comme elle le laissa la guider vers le sol. Car ce qu'il désirait, elle le désirait également.

Peu importait que le sable fût un peu froid : cela ne rendait les caresses de Roland que plus brûlantes encore. Et Kyla trouvait parfaitement naturel qu'ils fussent ainsi allongés sur cette plage, en pleine nuit. La suite, inévitable, lui paraissait tout aussi naturelle : il relèverait ses jupes et la posséderait, sous les étoiles.

Ses caresses l'irradiaient de plaisir. Il était tout en muscles et en puissance, souple et fort à la fois. Dans ses bras, Kyla ne redoutait plus rien.

Au moment de s'offrir à lui, cependant, elle se raidit instinctivement, redoutant la douleur qu'elle avait connue la première fois. Mais, à son émerveillement, rien de tel ne se produisit : il la pénétra en douceur, les yeux clos, concentré sur sa tâche, et elle ne ressentit rien d'autre qu'un sentiment d'accomplissement. Après quelques instants d'immobilité, il commença d'onduler des hanches, et très vite leurs corps vibrèrent à l'unisson, les emportant vers un abîme de félicité.

Il murmura des mots tendres à l'oreille de Kyla. Leurs lèvres se rencontrèrent. Avec une maîtrise absolue, il l'entraînait vers toujours plus de plaisir, comblant toutes ses attentes.

Sa jouissance ressembla à l'explosion d'une étoile qui laisserait dans son sillage de longues traînées de lumière. Presque au même instant, Roland cria son nom et s'abandonna à son tour à l'extase, avant de s'écrouler sur elle, la tête nichée dans son cou.

Ensuite, ils restèrent un moment enlacés. Dans cette étreinte, ils formaient véritablement un couple comme les autres, perdu dans l'immensité grandiose de l'univers et cependant faisant corps avec lui.

13

Le potager annonçait déjà l'été, avec ses carrés de plantes se hissant vers le soleil dans un bel ordonnancement géométrique.

La cuisinière n'avait pas été peu fière de dévoiler ce spectacle, lorsqu'elle avait ouvert la grille pour laisser entrer Kyla. Laquelle grille, avait-elle expliqué, était destinée à empêcher les biches de pénétrer dans l'enclos et venir brouter les plantations.

Kyla n'avait nullement réclamé cette visite guidée, mais il lui fallait bien rencontrer cette femme qui s'obstinait à lui servir du gruau à chaque repas, afin de lui expliquer – le plus diplomatiquement possible – qu'elle était maintenant en état de manger des mets plus consistants. Elle ne pouvait pas trouver à chaque fois un chien qui accepterait la bouillie à sa place.

Elle était donc descendue dans son domaine. La cuisinière, qui n'était pas du tout replète comme Kyla s'y attendait, mais plutôt grande et mince, avait écouté sans ciller la requête de Kyla.

— Marla est-elle d'accord ? demanda-t-elle finalement, se détournant de ses fourneaux.

— Oui, mentit Kyla.

Enfin, ce n'était pas exactement un mensonge : elle ne s'était pas entretenue de la question avec Marla, mais elle savait que cette dernière n'y verrait aucune objection.

— Dans ce cas, j'accepte, fit la cuisinière.

Ce problème réglé, il était évident que les deux femmes n'avaient plus rien à se dire. Mais ni l'une ni l'autre ne voyait comment mettre poliment un terme à leur entrevue. Dans leur dos, plusieurs filles de cuisine s'activaient pour éplucher les légumes du déjeuner. L'une d'elles avait réclamé du persil. La cuisinière avait sauté sur l'occasion.

— Voulez-vous voir notre potager, milady ?

Voilà comment Kyla s'était retrouvée parmi les parterres de légumes et d'herbes aromatiques ou médicinales. La cuisinière avait cueilli une botte de persil puis s'était éclipsée, non sans prescrire à Kyla de bien refermer la grille derrière elle quand elle partirait.

La jeune femme reconnaissait certaines herbes comme le basilic, le thym, la camomille, la menthe... mais pour l'essentiel, elle ignorait le nom des plantes cultivées dans ce vaste enclos. Ses pérégrinations la conduisirent près d'une treille sur laquelle poussait une vigne. Un banc de pierre à l'ombre du feuillage s'offrait comme un havre de paix. Kyla s'y assit et, les yeux clos, s'enivra des riches fragrances qui l'environnaient.

C'était la première fois depuis une éternité qu'elle pouvait goûter autant de paix à Lorlmar. En toute occasion, le moindre de ses déplacements lui valait d'être suivie : par un soldat, par une soubrette... qui tous lui témoignaient la plus grande déférence, mais n'en marchaient pas moins dans son ombre, où qu'elle aille. De guerre lasse, Kyla avait fini par renoncer à protester.

Mais ce matin, le soldat attaché à sa sécurité avait dû inopinément s'absenter. Kyla lui avait promis d'attendre sa chambrière, qui devait le remplacer.

Et de fait, elle avait réellement attendu. Trois bonnes minutes, au moins, le temps de s'assurer que le soldat était hors de vue. Puis elle avait filé dans les cuisines, pour cette fameuse mise au point avec la cuisinière.

Maintenant elle se retrouvait, enfin seule, dans cette petite oasis de verdure, propice à la méditation.

Roland l'évitait de nouveau.

Ses changements d'humeur étaient déconcertants. Comment pouvait-il se montrer tendre et passionné un moment, caustique et distant le moment d'après ? Depuis une semaine, Kyla essayait de se persuader qu'il n'agissait ainsi que parce qu'il était submergé par ses occupations de seigneur de Lorlreau. Mais cela n'expliquait pas tout.

C'est à peine si elle le voyait, excepté lors des repas – et encore, pas toujours. En revanche, il venait dormir presque chaque nuit dans leur lit, et il lui avait même fait deux fois l'amour. Avec une telle fougue et une telle passion que Kyla avait été incapable de lui résister. Pire encore : cela n'avait fait qu'aviver le désir qu'elle éprouvait pour lui.

La jeune femme, cependant, ne voulait pas passer son temps à souffrir, sous prétexte que son mari semblait davantage s'intéresser à la chasse, à la pêche ou aux travaux agricoles qu'à elle-même. Et elle ne voulait pas se réveiller chaque matin avec la déception de constater qu'il était déjà parti, et qu'elle ne le reverrait sans doute pas de la journée. Sinon, son existence deviendrait infernale! Elle devait donc s'endurcir le cœur, devenir insensible à ses yeux turquoise, à ses sourires ravageurs et ses caresses ensorcelantes.

Mais elle avait beau essayer, elle n'y parvenait pas! Ce constat lui arracha un soupir.

Un petit écureuil roux courait dans l'arbre au-dessus de sa tête et s'arrêta pour la regarder.

Puis Kyla entendit un bruit sur sa gauche. Elle se redressa, les sens en alerte, avant de réaliser que c'était une voix d'enfant, portée par le vent.

Elle partit en exploration, et découvrit bientôt Elysia assise au milieu d'une allée dallée, des poupées disposées autour d'elle : on aurait dit une reine présidant sa cour.

— Bonjour, tante Kyla, dit-elle sans se retourner. Voulez-vous jouer avec moi?

— Tu es venue ici toute seule? demanda Kyla, étonnée.

— Mais oui, répliqua Elysia du ton de l'évidence. Je viens très souvent. C'est un endroit agréable, n'est-ce pas?

L'écureuil avait suivi Kyla. Il sauta de branche en branche, jusqu'à se retrouver encore juste au-dessus de sa tête.

Kyla s'assit par terre, en tailleur comme Elysia, arrangeant ses jupes autour d'elle. La fillette lui sourit et s'empara d'une poupée.

— J'allais leur raconter une histoire. Voulez-vous l'entendre?

— Bien sûr, acquiesça Kyla.

La poupée, en tissu, avait une petite bouche rouge, des cheveux jaunes fabriqués avec des fils de laine. Elysia en prit une deuxième dans son autre main : celle-ci était en bois, avec le visage peint, et elle portait une robe rose.

— Il était une fois une reine, commença Elysia. Elle était bonne et généreuse. Tout le monde la vénérait.

La reine était apparemment la poupée aux cheveux jaunes.

— La reine, en retour, aimait tous ses sujets. Parfois, le roi lui conseillait de se montrer prudente, et de ne pas faire tout de suite confiance aux gens qu'elle ne connaissait pas.

Kyla écoutait attentivement. Elysia agita sa poupée, si bien que celle-ci parut secouer la tête.

— Mais la reine ne voulait rien entendre, reprit-elle. Elle s'imaginait que tout le monde était aussi bon qu'elle. Et que le roi se trompait.

La poupée en bois s'approcha de la reine, mimant une révérence.

— Ma chère reine ! Vous pouvez avoir toute confiance en moi ! fit Elysia, prenant une voix plus aiguë.

La reine serra l'autre poupée dans ses bras.

— Mais bien sûr, mon amie. Je le sais.

Kyla était comme hypnotisée par la scène qui se jouait devant elle. Un frisson lui parcourut l'échine.

Elysia reposa la poupée de chiffon et se saisit d'une autre, aux allures de chevalier, ou de soldat.

— Oh non ! s'exclama la poupée de bois, voyant le soldat. Oh non, oh non, oh non…

— Du calme ! tonna le soldat. Obéissez-moi !

— Non ! criait la poupée. Non, je ne peux pas !

— Obéissez-moi, et ils ne seront pas tués, la menaça le soldat.

— Nooon… gémit la poupée.

Mais c'était trop tard. Le soldat la poussa de côté et s'attaqua à la reine étendue à terre, la martelant sauvagement sur le dallage.

Kyla regardait, horrifiée. Elle aurait voulu crier « Stop ! », mais aucun son ne sortait de sa gorge.

Le soldat en avait terminé avec la reine. Kyla, blême, se tourna vers Elysia.

— La reine a été trahie, dit-elle de sa voix normale. Et elle en est morte.

Kyla pensait à sa mère.

— Elle a été trahie, répéta Elysia. Et elle est morte.

Kyla revoyait sa mère portée au tombeau. Le visage figé de son père. Les larmes d'Alister.

— C'est fini, conclut Elysia. L'histoire est terminée.

Kyla l'entendit à peine. Elle luttait pour chasser ses souvenirs.

— La reine est au paradis, à présent, précisa Elysia. Toutes les bonnes personnes vont au paradis. Elles y sont heureuses.

Kyla se releva et tourna les talons. Hagarde, elle retrouva tant bien que mal son chemin jusqu'à la grille, et n'oublia quand même pas de la refermer derrière elle. À cause des biches...

Le château se dressait devant elle. Elle ferait mieux de rentrer, à présent. Roland s'inquiétait peut-être déjà de son absence. Il serait encore furieux, et elle n'avait pas envie de le voir en colère.

Quelqu'un s'approcha d'elle et lui prit le bras. Elle se laissa faire. C'était probablement un garde. Peut-être le régisseur. Son allure lui parut familière. Il la reconduirait auprès de Roland.

Ils pénétrèrent dans la forteresse, dépassèrent le grand escalier et s'engagèrent dans un petit couloir qu'elle ne connaissait pas. L'homme lui serrait fort le bras. Il se tenait un peu trop près d'elle. Et Kyla avait l'impression qu'il la forçait à emprunter ce couloir. Intriguée, elle tourna la tête vers lui. Qui était-ce ? De taille moyenne, les cheveux noirs, un profil dur…

Kyla reprit brutalement ses esprits. Elle tenta de libérer son bras, avec toute la force dont elle était capable, mais l'homme la serra encore plus fort, plaquant même une main sur sa bouche.

— N'essayez pas de vous débattre, milady, murmura-t-il tandis qu'il la poussait dans une pièce dépourvue de fenêtre.

Kyla voulut crier, mais seul un son étouffé sortit de sa gorge.

— Ne vous débattez pas, répéta l'homme, avant de lui assener un coup dans les côtes, qui la plia en deux de douleur.

Kyla s'affala à moitié dans ses bras. Il en profita pour la palper sur tout le corps.

— Où l'avez-vous mise ? demanda-t-il. Où ?

Mue par l'énergie du désespoir, Kyla tenta une nouvelle fois d'échapper à son agresseur. Libérant un bras, elle lui donna un grand coup de coude dans l'estomac, qui lui coupa net la respiration. Puis, du plat de la main, elle le frappa violemment à la gorge.

Il la relâcha avec un gargouillement étranglé, avant de s'effondrer à genoux. Kyla se rua vers la porte, mais son assaillant trouva la force de s'agripper au bas de sa robe pour la retenir. La jeune femme tira de toutes ses forces et, par chance, le tissu se déchira, la libérant.

Elle s'enfuit à toutes jambes.

Roland fut alerté à son retour d'une courte expédition sur Forswall. S'il était seulement rentré une heure plus tôt, il aurait pu éviter le drame.

Duncan vint l'accueillir à sa descente de bateau, pour l'informer que Kyla avait de nouveau été agressée. Son cœur fit un bond dans sa poitrine et, l'espace d'un instant, une rage sourde l'aveugla.

Il trouva la jeune femme dans la chambre de Marla. Elle avait refusé de regagner la sienne, de crainte sans doute d'y être confinée pour le restant de ses jours. Ce qui, aux yeux de Roland, ne serait pas forcément une mauvaise idée.

Kyla était assise dans le fauteuil ayant si souvent servi à sa mère, et que Marla avait décrété sien lorsqu'elle était plus jeune. Sa chevelure à moitié défaite lui donnait un air vulnérable.

Au moment où il entrait, elle refusait la tasse que Marla lui présentait. Dans sa fureur, Roland fit claquer violemment la porte contre le mur – mais ce mouvement n'était pas prémédité. Il s'avança plus calmement vers la jeune femme et lui prit la main.

— Peux-tu parler ? s'enquit-il.

— Évidemment ! répliqua-t-elle avec hauteur, probablement pour masquer son angoisse. C'était le brun.

Il avait déjà entendu tous les détails de la bouche de Duncan, mais il avait besoin de les entendre de sa propre bouche.

— Que faisais-tu, toute seule ? demanda-t-il, s'obligeant à juguler la rage qui battait à ses tempes.

Elle détourna le regard, butée comme à son habitude. Mais Roland crut déceler, dans son attitude, une vague trace de culpabilité.

Il attendit. Puis, comme elle ne répondait toujours pas, il ajouta :

— Peu importe, de toute façon. Cela n'arrivera plus.

Il relâcha sa main et tourna les talons.

— Attends, Roland ! le rappela Kyla.

Mais il ne se retourna pas, quittant la chambre et laissant le garde de faction refermer la porte derrière lui.

Kyla se laissa tomber sur son lit, la tasse de tisane toujours à la main, avec un air d'amère résignation.

Cette nuit-là, il ne vint pas la rejoindre. Ni la nuit suivante, et pas davantage celle d'après. Et bien qu'elle ne fût pas vraiment prisonnière de sa chambre, Kyla constata que désormais elle n'avait plus seulement un garde affecté à sa protection, mais deux.

Thomas et Berthold devinrent ainsi ses compagnons attitrés. L'un et l'autre bâtis comme des champions de lutte, et l'un aussi taciturne que l'autre – en général, ils s'exprimaient par des grognements qui voulaient dire «oui» ou «non».

Kyla aurait dû se sentir honorée d'être aussi bien protégée, sauf qu'avec ces deux lascars attachés à ses basques, elle s'estimait encore plus exposée qu'avant. Où qu'elle aille, sa présence était aussitôt remarquée. Elle n'avait plus aucune chance de se faufiler discrètement dans le château. Et bien sûr, il ne lui était plus possible d'emprunter les passages secrets. Roland avait tenu sa promesse de sceller l'armoire de leur chambre au parquet.

Maintenant, dès qu'elle arrivait quelque part, les gens se dispersaient comme un banc de poissons se sépare quand un requin croise son sillage. Il faut dire qu'avec Thomas et Berthold l'encadrant, ou la précédant, l'atmosphère se plombait d'un coup.

D'ailleurs, l'humeur du château tout entier parut s'assombrir. Et au-dehors ce n'était pas mieux, comme si les éléments avaient voulu se mettre au diapason : le ciel était perpétuellement voilé de nuages bas, et une bise glaciale donnait l'impression que l'hiver revenait.

Les habitants de Lorlmar bavardaient moins entre eux. Plus personne ne souriait pendant les repas. Quant aux enfants, ils semblaient ne plus quitter la nursery.

Dès que Roland se trouvait dans les parages, c'était encore pire. Tout le monde s'arrêtait dans ses occupations, pour le regarder et la regarder, paraissant attendre quelque chose. Mais Kyla se demandait bien quoi.

Pour sa part, elle attendait un événement bien précis : que Roland lui revienne. Depuis la dernière agression, c'est tout juste si leurs regards s'accrochaient quelquefois, et il ne lui adressait plus que très rarement la parole. Kyla, cependant, voyait bien qu'il était d'une humeur encore plus massacrante avec les autres : si maigre fût-elle, c'était toujours une consolation.

Lorsqu'il l'avait questionnée sur les détails de son agression, il s'était montré patient, et même placide. Kyla lui avait raconté tout ce dont elle se souvenait, excepté le moment partagé avec Elysia dans le jardin. C'était trop intime pour qu'elle puisse en parler à quelqu'un. Mais elle lui avait narré le reste : la façon dont l'homme l'avait abordée, ce qu'il lui avait dit, et comment elle avait réussi à s'échapper.

Quand Roland lui avait demandé ce que pouvait bien chercher son agresseur, elle avait répliqué, en toute sincérité, qu'elle n'en avait pas la moindre idée. À cela, son mari avait répondu par un long silence, et un regard glacial en direction de la fenêtre. Leur entretien s'était terminé là et, depuis, ils n'avaient plus eu de vraie conversation.

L'après-midi du troisième jour après l'agression, Kyla se trouvait dans les écuries avec Zéphyr, s'excusant auprès de lui de ne plus le sortir. L'animal exprimait son mécontentement en reniflant bruyamment et en raclant le sol de ses sabots. Thomas et Berthold, plantés de chaque côté de la stalle, l'observaient avec méfiance.

Les stalles n'étaient séparées que par de minces cloisons de bois, s'arrêtant à mi-hauteur. Si bien que Kyla avait une vision d'ensemble des écuries. Deux hommes s'activaient un peu plus loin, lui tournant le dos, dans une autre stalle auprès d'un cheval à la robe presque blanche. À la façon dont ils étaient penchés, la jeune femme devina qu'ils travaillaient sur ses sabots. Et en tendant l'oreille, elle pouvait entendre leur conversation.

— Smith assure qu'il venait juste de la ferrer.

L'autre grommela un acquiescement.

— Comment cette jument, que devait monter Dedrick, aurait été perdre un fer tout neuf ? Et posé par Smith, alors que tout le monde sait que ses fers tiennent jusqu'à l'usure totale.

— J'ai entendu dire qu'on avait retiré plusieurs clous, et qu'on les avait remplacés par d'autres, de mauvaise qualité.

Le cheval blanc montra quelques signes de nervosité. Les deux hommes l'apaisèrent, puis reprirent leur conversation.

— Oui. J'étais là quand on a montré les clous au capitaine. Tu aurais vu la tête de Duncan ! Il a dû passer un sale quart d'heure après avoir fait son rapport à milord.

— Non, ça m'étonnerait. Tu sais bien comment est milord. Il dit rarement quelque chose, sur le coup. Il garde ça pour lui. Mais le lendemain, on a retrouvé tous les clous tordus sur son bureau. Il les avait tordus avec ses doigts !

Les deux hommes se turent, absorbés par leur tâche. Kyla ferma les yeux, la joue nichée dans l'encolure de son cheval.

La quatrième nuit, Kyla fut réveillée en sursaut par une lueur.

— N'aie pas peur ! la rassura Roland, qui brandissait un chandelier.

Kyla, d'abord, crut à une apparition. Mais il s'assit au bord du lit et elle constata qu'elle ne rêvait pas. C'était bien Roland.

Elle se redressa, alertée par l'acuité de son regard.

— Que se passe-t-il ?

— Es-tu assez réveillée ?

Elle hocha la tête.

— Alors, habille-toi. Je voudrais que tu viennes avec moi.

— Où ? demanda-t-elle, soudain pleine d'espoir.

Elle pensait à la petite plage où ils avaient fait l'amour sous les étoiles.

Roland se releva et lui tourna le dos.

— J'ai besoin que tu identifies un cadavre, dit-il d'une voix lointaine.

Kyla s'habilla en vitesse, mais elle se débattit avec les boutons de sa robe, et Roland dut venir à son secours. Ses gestes étaient efficaces, mais impersonnels. Lorsqu'elle fut entièrement vêtue, il lui prit le bras et l'entraîna dans le couloir.

Les deux gardes les suivirent.

Ils descendirent sans un mot le grand escalier et sortirent dans la cour. Puis ils prirent le chemin des écuries, mais au lieu d'y pénétrer Roland la dirigea vers un groupe de soldats massés au pied du mur d'enceinte et qui, de toute évidence, les attendaient.

Ils s'étaient regroupés autour d'un cadavre. Et bien sûr, c'était l'homme aux cheveux noirs. Kyla le reconnut d'un seul coup d'œil. Il gisait dans la poussière, sa tunique déchirée et une tache de sang maculant sa poitrine. Elle détourna le regard et hocha la tête en réponse à la question muette de Roland.

— Tu en es certaine ?

— Oui.

Il fit un signe à ses hommes, et les soldats s'empressèrent d'emporter le corps.

Roland et Kyla les regardèrent se fondre dans la nuit. Il n'y avait plus que Thomas et Berthold avec eux, silencieux comme à leur habitude. Kyla pivota vers Roland, pensant qu'il était ému par la mort de cet homme.

— Dommage, dit-il avec une esquisse de sourire qui n'avait rien de joyeux. J'aurais préféré le tuer moi-même.

Kyla comprit qu'il parlait sérieusement.

14

À la fin de la semaine, Kyla n'en pouvait plus de l'atmosphère morbide du château. Après la découverte du cadavre de l'homme aux cheveux noirs, l'humeur dc Roland était devenue encore plus massacrante – si cela était possible. À présent, Kyla ne le voyait même plus lors des repas. Et ses nuits, comme ses journées, n'étaient peuplées que d'une interminable solitude. Les gens semblaient l'éviter comme si elle portait la peste. Même Marla se faisait rare.

Kyla décida donc d'aller chercher conseil et réconfort auprès de la seule personne, sur cette île, susceptible de la protéger de cet abîme de noirceur dans lequel elle risquait de suivre son mari. Harrick.

Lorlmar ne possédait pas de chapelle. La seule messe à laquelle Kyla avait assisté jusqu'à présent s'était tenue dans la grande salle du château. Elle se lança donc à la recherche de Harrick. Et elle le découvrit dans le dernier endroit où elle aurait imaginé trouver un moine.

Pas dans les cuisines, où n'officiaient que des femmes.

Pas non plus dans la grande salle, qui ne se remplissait qu'aux heures des repas.

Pas davantage dans les écuries : frère Harrick, lui expliqua-t-on, ne montait pas à cheval.

Ni dans la grande cour, toujours encombrée de monde, mais où elle aurait repéré rapidement la haute stature du moine.

Ni même dans sa chambre, comme le confirma Thomas qui était allé vérifier.

En fait, Kyla trouva Harrick dans la nursery – et encore le découvrit-elle par accident, n'ayant pas une seconde pensé à le chercher là. Mais la nursery occupait la même aile du château que la chambre de Harrick et sa voix, parfaitement reconnaissable, perça à travers la porte.

Kyla hésita cependant à tourner la poignée, se demandant si elle pouvait entrer sans s'être annoncée. Berthold résolut son dilemme en ouvrant grande la porte à sa place.

Harrick était assis au milieu d'un cercle d'enfants, les bras tendus en l'air.

— ... avec des ailes plus grandes que trois hommes réunis, des yeux incandescents et d'énormes flammes qui jaillissaient de sa gueule ouverte.

Les enfants l'écoutaient, médusés. Mais Harrick vit la jeune femme, et les ailes du dragon redevinrent de simples bras.

— Je finirai l'histoire demain, dit-il. Saint George peut attendre.

Ce fut un concert de protestations, mais Harrick se releva.

— Demain, répéta-t-il d'une voix ferme, et comme par enchantement les protestations cessèrent sur-le-champ, les enfants se dispersant aux quatre coins de la pièce.

Quelques-uns, conduits par Elysia, s'approchèrent de Kyla.

— Bonjour, tante Kyla, dit celle-ci en tirant sur sa jupe. Vous sentez-vous mieux, aujourd'hui?

Kyla caressa la joue de la fillette.

— Oui, merci.

— Je suis bien contente, fit Elysia.

Et elle s'éloigna, entraînant ses camarades avec elle.

Des servantes se chargèrent de faire asseoir les enfants dans un coin, leur enjoignant de se tenir bien sages en présence de la comtesse. Bientôt, un silence complet régna dans la pièce. Mais tous les regards étaient braqués sur Kyla.

— Si nous sortions prendre l'air? proposa Harrick.

— Volontiers, répondit Kyla.

Ils descendirent dans la grande cour.

Harrick n'avait pas posé de questions, pour l'instant, et Kyla réfléchissait au meilleur moyen d'engager la conversation sur le sujet qui la préoccupait. Tout en marchant, ils franchirent la grille du château et, à sa grande surprise, aucun des deux gardes ne grommela. Mais Thomas et Berthold restaient dans leur sillage.

Harrick les entraîna vers la forêt et s'arrêta à l'orée d'une petite clairière pour se retourner vers les cerbères :

— Attendez un peu en arrière, leur dit-il. La comtesse et moi aimerions avoir un entretien privé.

Kyla s'attendait à un refus poli, mais ferme, des deux gardes. Aussi, quelle ne fut pas sa surprise de les voir saluer humblement et se retirer sous le couvert des arbres.

— Comment va votre mari, milady ? demanda Harrick, croisant les mains dans une posture de sérénité.

— Je…

En fait, elle n'en avait aucune idée. Et c'était d'ailleurs pour cela qu'elle avait souhaité voir Harrick. Mais sa question directe lui avait fauché l'herbe sous le pied.

— Je crois qu'il va bien, répondit-elle finalement.

Harrick haussa un sourcil. La ressemblance avec son demi-frère était soudain flagrante.

— Vous croyez ?

— Eh bien… c'est-à-dire que je ne l'ai pas beaucoup vu, ces derniers temps.

— Pourquoi donc ?

— Ce n'est pas que je n'aurais pas souhaité le voir. Mais il n'était pas vraiment visible.

— Avez-vous seulement cherché à le rencontrer ?

— Non, avoua Kyla, qui commençait à se sentir malmenée. Je ne l'ai pas cherché.

— Et pourquoi, s'il vous plaît ?

— Parce qu'il ne semblait pas désirer ma présence.

— Qu'en savez-vous ?

Kyla se sentit vaguement coupable de quelque chose, mais elle s'obligea à combattre ce sentiment.

— S'il avait voulu me voir, je n'étais pas difficile à trouver, rétorqua-t-elle.

— Je n'ai pas dit le contraire, milady, admit Harrick, une pointe d'amusement dans la voix. Vous êtes si bien surveillée que n'importe qui, dans le château, pourrait vous localiser dans l'instant.

Kyla soupira de frustration.

264

— Vous ne sauriez pas mieux dire, hélas !

— J'ai l'impression, commença Harrick en levant les yeux vers la cime des arbres qui les entouraient, que le plus perdu des deux, ce n'est pas vous, mais Roland.

Kyla ouvrit la bouche pour répondre, puis la referma, tant elle était stupéfaite.

— Je crois que vous le trouverez dans son bureau, ajouta Harrick. En compagnie d'une bouteille de vin.

— Dans son bureau ?

— Thomas et Berthold vous y conduiront, précisa Harrick.

Et, plaçant doucement une main dans son dos, il l'invita à quitter la clairière.

Roland était assis derrière un immense bureau. De lourdes tentures de brocart pourpre pendaient à l'unique fenêtre, et le peu de soleil qui perçait à travers baignait la pièce d'une lumière irréelle.

Le bureau était encombré d'objets hétéroclites. Un fer à cheval ; une chaîne en or, avec un pendentif ; un coffret à bijoux, sans doute destiné au collier ; un gobelet rempli d'un liquide qui avait laissé des taches sur le bois...

Roland ne leva pas les yeux quand elle poussa la porte, ni même quand elle fit quelques pas à l'intérieur.

— Pas maintenant, dit-il d'une voix lointaine. Laissez-moi tranquille.

Kyla jeta un coup d'œil par-dessus son épaule. L'un des deux gardes avait déjà refermé la porte derrière elle. Ils attendraient dans le couloir.

— Bon sang, Marla ! Je vous ai déjà dit que je ne voulais pas de ces maudites tisanes. S'il vous plaît...

Roland sursauta en découvrant devant lui la femme idéale – du moins telle qu'elle lui apparaissait dans ses rêves : une femme avec des cheveux couleur d'automne, des yeux couleur clair de lune, des courbes parfaites.

Il enfouit la tête dans ses mains, persuadé d'être victime d'une hallucination. Quand il rouvrirait les yeux, elle aurait disparu, et il se retrouverait à nouveau environné de ténèbres...

— Roland... murmura-t-elle, de sa voix si tendrement mélodieuse.

Il serra les dents, pour ne pas entendre l'apparition.

Les secondes passèrent.

Il avait soif. Il tendit la main vers son gobelet, mais celui-ci était vide. Pourquoi était-il toujours vide, bon sang ? Il était le chef ici, non ? Son gobelet aurait dû être rempli.

Il releva les yeux. Elle était toujours là. Exactement comme tout à l'heure.

— Roland ?

Il éclata de rire. Peut-être était-elle vraiment là, après tout ?

— Quoi ?

Elle s'approcha du bureau. Il avait l'impression qu'elle flottait plutôt qu'elle ne marchait. Elle s'empara du gobelet et le poussa de côté.

Roland la regardait, fasciné par sa beauté. Il avait l'impression de revenir à lui, mais c'était encore pire que lorsqu'il était sous l'emprise bienheureuse du vin. Car ce n'était pas seulement du désir qu'il éprouvait pour la jeune femme.

Il l'aimait. Il en était certain : il l'aimait. De tout son cœur et de toute son âme. Mais qu'allait-il devenir ? Elle ne voudrait jamais de lui, à cause de tous ces fantômes qui se dressaient entre eux…

L'air empestait la vinasse. Roland avait les cheveux en bataille et des cernes sous les yeux. Il marmonnait quelque chose dans sa barbe en secouant la tête. Kyla se précipita vers la fenêtre pour tirer les rideaux. Elle dut s'y reprendre plusieurs fois, tant le brocart était lourd, mais elle fut récompensée par un flot de lumière inondant brutalement la pièce. Puis elle ouvrit la croisée afin de faire entrer l'air venu de l'océan. Après quoi, elle revint vers le bureau.

Et cette fois, elle entendait bien retenir l'attention de son mari.

Il la regardait, un peu hébété, clignant des yeux en raison de la soudaine clarté.

— Kyla ? dit-il d'une voix éraillée, comme s'il se réveillait.

Elle croisa les bras sur sa poitrine.

— Oui, Roland.

Il se frotta les paupières puis regarda autour de lui, de plus en plus ahuri.

— Tu es là…

— Oui, je suis là. Et toi, tu es ivre.

Il s'esclaffa.

— Non, hélas, je ne le suis pas. Mais j'aimerais bien. J'essayais, d'ailleurs.

— Je voudrais te parler, Roland.

Il s'adossa à son siège, la regarda à travers ses yeux mi-clos et haussa les épaules.

— Eh bien, parle. Je t'en prie.

Mais les mots se dérobaient dans l'esprit de Kyla. Pour masquer son désarroi, elle se choisit un fauteuil, s'y installa et lissa ses jupes.

Il ne la quittait pas des yeux, mais ne disait rien.

— Comment te sens-tu ? s'enquit-elle finalement, à court d'inspiration.

— Pas trop mal, ma foi.

C'était si peu vraisemblable qu'il plaisantait, sans doute. Cependant, il ne souriait pas.

— Je ne t'ai pas beaucoup vu, ces derniers temps, dit-elle d'un ton qui se voulait détaché.

Il ne répondit rien.

— Mais j'imagine que c'est parce que tu es très occupé. Tes fonctions de seigneur de Lorlreau accaparent tes journées.

Il esquissa un sourire, joua avec la chaîne en or, s'en servant pour dessiner des figures sur la surface du bureau : un S, un triangle…

— Et je constate, ajouta-t-elle, que tu préfères la compagnie du vin à celle de ta femme.

Roland leva les yeux et accrocha son regard.

— C'est ce que tu penses ? demanda-t-il. C'est vraiment ce que tu penses ?

Elle eut un geste de résignation.

— Que pourrais-je croire d'autre ?

Il détourna le regard.

— La vérité, c'est que tu ne veux pas savoir.

— Si, Roland. J'aimerais savoir.

La chaîne, à présent, ne formait plus qu'une ligne droite, le médaillon disposé exactement en son centre. Il posa les mains à chacune des extrémités de la ligne.

Kyla commençait à perdre patience. Roland l'ignorait de nouveau, les yeux rivés sur le médaillon. Elle s'apprêtait à se relever lorsqu'il lâcha soudain, d'une toute petite voix :

— Elle était plus jeune que toi, quand elle est morte.

Kyla s'enfonça dans son siège.

— Qui?

— Eleanor. Elle s'était mariée jeune. Trop jeune, sans doute. À quinze ans.

Il ferma les yeux et soupira.

Kyla fronça les sourcils et porta son regard sur le médaillon. C'était un disque en or, avec un motif sculpté au centre. Une croix celtique?

— Mais elle était heureuse avec lui, reprit-il. Elle disait l'aimer beaucoup, et je la croyais. James était quelqu'un de bien. Et je savais que lui-même en était amoureux depuis longtemps. Quand il est mort, elle a bien failli le rejoindre dans la tombe.

Kyla chercha son regard, mais il fixait un point invisible derrière elle.

— Elle était enceinte de cinq mois lorsque James s'est perdu en mer, un jour de tempête. Nous n'avons rien pu faire. Il n'aurait pas dû sortir, ce jour-là.

— Et c'est à ce drame que tu repenses pendant toutes tes journées? demanda Kyla, perplexe.

Il reporta son attention sur elle.

— Quelques semaines après la disparition de James, j'ai été obligé de quitter Lorlreau. J'étais obligé, comprends-tu. Henry me réclamait pour mener campagne dans le Nord, et je ne pouvais pas refuser.

Kyla, impressionnée par son regard, hocha la tête.

— Voilà. J'étais donc absent. La plupart de mes hommes m'avaient accompagné. Il ne restait que les femmes et les enfants. Et mon père, avec quelques-uns de ses gardes. C'est tout. Mais cela avait toujours suffi, jusque-là.

Il était une fois une reine…

La fable d'Elysia lui revenait soudain en mémoire. Et Kyla redoutait à présent d'entendre la suite.

— Kyla, dit-il d'une voix presque caressante, laisse-moi, maintenant.

— Non, répondit-elle, bouleversée par la douleur qu'elle lisait dans ses prunelles turquoise. Je ne peux pas te laisser.

Roland s'esclaffa.

— Je reconnais bien là mon intrépide Kyla. As-tu vraiment envie d'entendre la suite de l'histoire ?

Non, pensait Kyla.

— Oui, dit-elle.

— Peu après mon départ, deux navires s'échouèrent dans l'anse des Sirènes, que tu ne connais que trop bien. La plupart des marins périrent sur le coup. Les quelques survivants, à peine une vingtaine, réussirent à grimper sur la falaise, plus morts que vifs. Nous avons toujours eu pour tradition d'accueillir les étrangers. Mon père fit ce qu'il avait déjà fait en d'autres occasions : il les recueillit, les nourrit, leur donna des vêtements et un lit, jusqu'à ce qu'ils soient assez solides pour repartir. Mais ils ne sont pas repartis.

La reine aimait tout le monde...

— Eleanor s'était liée d'amitié avec l'un d'eux, un garçon de son âge, seize ans environ. Je suppose qu'il l'avait amadouée avec quelques belles histoires de mer. Eleanor avait toujours aimé les histoires. Et ce garçon – il s'appelait Justin – la persuada de convaincre mon père qu'ils avaient besoin d'un peu plus de temps pour récupérer. Quelques semaines seulement, et ensuite ils reprendraient la mer.

Roland ouvrit le coffret à bijoux. L'intérieur était garni de satin. Sa couleur – probablement du bleu royal – avait passé avec le temps et prenait à présent des reflets lavande.

— Trois jours plus tard, à l'aube, ces hommes massacrèrent tous ceux qu'ils purent. En réalité, ils étaient en pleine forme. Et ils avaient pris soin de repérer les lieux, comment ils étaient défendus, et ce qu'ils pourraient voler. C'étaient des pirates.

Kyla sentit sa poitrine se contracter. Ses mains s'étaient crispées sur les accoudoirs du fauteuil.

— Mon père les a combattus du mieux possible. Mais il était âgé, et ses hommes furent attaqués par surprise. La plupart furent tués avant même d'avoir pu quitter leur lit. Quelques pirates périrent dans l'assaut, mais pas assez, malheureusement. Mon père, en revanche, fut d'abord épargné. Probablement pensaient-ils le garder en otage, si les choses tournaient mal… Marla s'est toujours levée la première, avant l'aube. Elle se trouvait déjà dans le potager, ce matin-là, quand elle entendit qu'on s'en prenait aux gardes. Elle rentra dans le château par les passages secrets – les pirates, heureusement, n'avaient pas eu le temps d'apprendre leur existence – et, avec l'aide de Madoc et de Seena, elle rassembla les femmes et les enfants dans les entrailles de la forteresse. Puis elle partit chercher Eleanor.

Il prit le médaillon dans sa main.

— Mais au lieu d'Eleanor, Marla tomba sur Justin. *Obéissez-moi, et ils ne seront pas tués…*

— Malgré son jeune âge, il était devenu le chef des pirates, leur capitaine ayant péri dans le naufrage. Il devait son autorité à sa ruse et à sa brutalité. Les autres pirates le craignaient. Hélas, ma sœur n'avait pas su deviner combien il était diabolique.

Roland laissa tomber le médaillon dans le coffret.

— Marla refusa de leur dire où étaient cachés les autres. Elle espérait qu'Eleanor avait pu s'échapper, et qu'elle avait rejoint tout le monde dans les passages. Mais ils la débusquèrent dans sa chambre. Elle en était à son huitième mois de grossesse.

Kyla ferma les yeux. Elle devinait la suite.

— Ils violèrent les deux femmes sous le regard de mon père, puis ils le tuèrent. Et ils laissèrent Eleanor et Marla pour mortes avant de s'enfuir. Eleanor, du reste, ne vivait plus qu'à peine.

Roland referma soigneusement le coffret, comme si le moindre faux mouvement pouvait le briser. Sa voix était dénuée de toute émotion.

— Justin, en particulier, l'avait violentée malgré son état.

Kyla s'aperçut que ses joues étaient mouillées. Mais elle n'aurait pas su dire à quel moment elle avait versé sa première larme.

— Marla aida ma sœur à donner naissance au bébé dans la foulée. Eleanor trouva la force de serrer Elysia dans ses bras avant d'expirer.

Il baissa les yeux.

— Deux jours plus tard, j'étais de retour à Lorlreau. Deux jours! À deux jours près, ma sœur serait encore en vie. Et mon père serait toujours le comte de Lorlreau.

Kyla ne voyait rien à répondre à cela. Sa voix resta bloquée dans sa gorge, et elle ne put que secouer la tête.

— Derrière toi, reprit Roland, derrière ton épaule, je ne vois plus qu'un grand vide obscur. Mais ces ténèbres insondables sont peuplées de cris d'horreur.

— Et les pirates ? questionna Kyla. Que sont-ils devenus ?

— Ils avaient eu le temps de regagner l'Angleterre. J'ai retrouvé leurs traces en moins d'une semaine.

— Ils sont morts ?

— Oui. Tous, sans exception. Tu m'as demandé, un jour, comment j'avais pu devenir «l'Âme damnée de Henry». Maintenant, tu le sais. Après ce drame, je ne me sentais plus aucune morale. Mais voilà qu'aujourd'hui quelqu'un veut s'en prendre à ma femme, et cherche à la tuer. J'ai l'impression que tout recommence. Et j'ai bien peur de sombrer dans la folie si jamais il t'arrive quelque chose.

Kyla était bouleversée. Roland se recroquevilla dans son fauteuil, comme épuisé.

— Maintenant, laisse-moi, s'il te plaît. Remonte dans ta chambre.

Elle se leva.

— Non. C'est à ton tour de m'écouter.

Il ne fit rien pour l'arrêter, mais il gardait les yeux rivés sur le coffret à bijoux.

— Je me moque de ce que tu as fait subir à ces hommes, dit-elle, s'approchant du bureau. En revanche, je ne veux pas que cette affaire continue de t'obséder. Car elle te détruira. Et elle nous détruira.

Forçant la voix, désirant désespérément qu'il accepte de l'écouter, elle ajouta :

— Personne ne peut rien changer au passé. Nous avons, toi et moi, enduré notre lot d'épreuves. La mort a rôdé autour de nous. Mais cette époque est révolue. Pour toi comme pour moi. Je refuse que tu te complaises dans ces souvenirs macabres. Tu entends, Roland Strathmore ? Je refuse ! J'entends que, dès cet instant, tu redeviennes mon mari et que nous n'en parlions plus. Car le passé est mort, lui aussi. Et j'en ai assez de la mort !

Elle marqua une pause, ramena ses cheveux en arrière et lança :

— Je veux *vivre*, désormais. Et je te veux, toi.

Il avait fermé les paupières, et l'espace de quelques instants Kyla se demanda si elle n'était pas allée trop loin. Elle contourna le bureau pour le rejoindre, et alors il l'attira à lui, la faisant asseoir sur ses genoux et la serrant si fort qu'elle pouvait à peine respirer. Il riait.

— Ce n'est pas le moment de rire ! protesta Kyla, furieuse.

— Ô mon Dieu ! s'exclama Roland sans la relâcher. Je t'aime tellement !

Il ne riait plus. Et peut-être n'avait-il jamais ri, car Kyla sentit que ses joues étaient humides. Mais quand elle leva les yeux, elle trouva aux siens leur éclat habituel.

— Je n'avais jamais parlé de cette histoire à personne, avoua-t-il, comme émerveillé par ce qui venait de se passer. Je n'en étais tout simplement pas capable.

— Les fantômes du passé n'ont d'autre pouvoir que celui que tu veux bien leur accorder.

Il la serra de nouveau très fort contre lui, enfouissant son visage dans le cou de la jeune femme.

— Ma brave petite femme, qui n'a peur de rien… murmura-t-il. Tu sais, je ne suis peut-être pas aussi solide que tu l'imaginais.

— Seuls les imbéciles n'ont peur de rien, lui rappela Kyla. Moi aussi, j'ai mes démons. Et je suis convaincue que tu es beaucoup plus fort que tu ne le crois. Tu serais capable de survivre, tout seul, un hiver entier dans les Highlands. À condition de suivre mes conseils, bien sûr.

Il éclata de rire. Cette fois il riait vraiment, et Kyla en fut soulagée.

— Je t'aime, dit-il, approchant ses lèvres des siennes.

Il l'embrassa tendrement puis, se dégageant, il l'installa dans le fauteuil tandis que lui-même s'agenouillait devant elle :

— Je t'aime, répéta-t-il. Tu m'es indispensable, Kyla. Et je ne sais pas comment j'ai pu vivre toutes ces années sans toi. Je t'aime.

— Je t'aime, moi aussi, avoua-t-elle, et ces mots sortaient de son cœur. Je t'aime, Roland.

Il la serra contre lui, s'enivrant de son parfum. Kyla posa les mains sur ses épaules pour l'attirer entre ses cuisses.

Sa robe était assez lâche pour permettre à Roland d'immiscer ses doigts sous ses jupons et d'atteindre le cœur de sa féminité. Il ne s'en priva pas, et bientôt elle gémit de plaisir, choquée et excitée à la fois. Puis elle tendit la main, cherchant à tâtons son membre pour en éprouver la dureté et le torturer par d'exquises caresses qui le rendirent à moitié fou.

Roland finit par repousser sa main et libéra lui-même son membre. L'instant d'après, les jupes de Kyla étaient retroussées sur sa taille et, s'étant redressé, Roland la pénétrait d'une seule poussée.

Elle avait basculé la tête en arrière, mais il la tenait solidement par les cuisses. Leur étreinte fut brève, violente et passionnée. Kyla cria son nom, se mordit la lèvre et s'écroula sur lui dans un tremblement magnifique.

Roland attendit de reprendre son souffle, puis il souleva doucement la jeune femme dans ses bras et roula avec elle sur le tapis où ils restèrent allongés, à savourer ce moment de paix et de détente.

— Ne m'abandonne jamais, murmura-t-il, à moitié gagné par le sommeil, alors qu'un rayon de soleil balayait son visage.

— Je ne t'abandonnerai pas, répondit-elle sans la moindre hésitation.

15

Le lendemain matin, Kyla connut le plaisir de se réveiller dans les bras de son mari – un bonheur qui lui avait terriblement manqué, ces derniers jours.

Le cauchemar était terminé, elle en était convaincue. Le pire était derrière eux.

Après ce moment magique dans le bureau, ils avaient quitté ensemble la pièce, Roland marchant d'un pas beaucoup plus assuré. Le soir au dîner, il avait paru changé à tout le monde. Il avait ri des facéties d'Elysia, conversé gaiement avec ses proches. Seule Kyla – et peut-être Marla – avait pu distinguer le restant de tristesse qui ombrait son regard. La jeune femme ne s'en était pas formalisée : elle était persuadée qu'avec le temps elle saurait le délivrer de cette dernière trace de chagrin.

Mais, quelque part au fond de lui, subsisterait sans doute cette « Âme damnée » qu'il avait été pendant tant d'années. Le guerrier en lui ne mourrait jamais et, d'une certaine manière, Kyla ne souhaitait pas le voir mourir.

D'ailleurs, malgré sa bonne humeur retrouvée, il n'avait pas cessé durant le repas de parcourir la salle du regard, à la recherche de cet ennemi invisible qui cherchait à détruire son épouse. Et il s'était discrètement entretenu avec Duncan à ce sujet.

Kyla aimait chez lui ce côté protecteur. Du reste, elle ressentait la même chose à son endroit : s'il avait été en danger, elle aurait tout fait pour le protéger.

Les autres étaient de toute évidence stupéfiés par cette métamorphose. Stupéfiés et ravis. Ce dîner avait marqué un nouveau départ, et le sourire de Kyla avait fait écho à celui de son mari.

Ils avaient refait l'amour pendant la nuit, jusqu'à très tard, s'explorant mutuellement avec une tendresse retrouvée. Puis Roland avait serré Kyla dans ses bras et l'avait une nouvelle fois assurée de son amour, avant de s'endormir.

Ce matin, alors que son mari dormait toujours contre elle, la jeune femme ressentait une immense gratitude envers ce destin qui lui avait octroyé un aussi beau cadeau que Roland Strathmore.

Il ouvrit les yeux, accrocha son regard et sourit.

— Je t'aime. Mais j'ai faim. Allons manger.

Le petit déjeuner s'avéra encore plus plaisant que le dîner, la nouvelle du revirement d'humeur du comte s'étant, entre-temps, répandue dans tout le château.

Marla eut assez de culot pour interroger Roland sur la cause de ce prodige.

— Ma femme a sauvé mon âme, répondit-il.

Marla sourit, et Elysia opina du chef.

— Je t'avais dit qu'elle réussirait, lança-t-elle à Harrick.

— Je confirme, acquiesça Harrick. Tu l'avais dit.

Kyla secoua la tête.

— Tu t'es sauvé tout seul, Roland, murmura-t-elle à son mari.

Il lui embrassa la main devant tout le monde.

— Où allons-nous ? demanda Kyla, qui marchait précautionneusement sur le sentier rocailleux.

— C'est une surprise, répliqua Roland avec ce sourire taquin auquel elle était incapable de résister.

Il avait disparu aussitôt le petit déjeuner terminé, mais il était réapparu en début d'après-midi, pour lui proposer une promenade.

C'était une belle journée et le soleil radieux magnifiait les couleurs de la campagne. Le sentier était désert, n'offrant sa nature sauvage qu'aux deux promeneurs. Pour une fois, Thomas et Berthold n'étaient pas de l'excursion.

— Nous sommes presque arrivés, annonça Roland.

Un oiseau dans les arbres lança ses trilles, comme pour ponctuer sa phrase.

Tout à coup, au débouché d'un bosquet de grands sapins, Kyla aperçut du monde.

Une foule s'était donné rendez-vous ici. Des tables avaient été dressées dans l'herbe, ornées de guirlandes de fleurs et couvertes de victuailles. Il y avait même des musiciens. Kyla s'arrêta, éberluée, mais Roland souriait. Dès que la foule les aperçut, une clameur enthousiaste s'éleva dans l'air.

La jeune femme se tourna vers Roland. Son sourire s'évanouit, remplacé par une expression solennelle.

— Nous n'avons pas eu un mariage dans les règles, expliqua-t-il.

279

Kyla était trop émue pour parler. Une boule s'était formée dans sa gorge.

Roland lui prit les deux mains et les porta à ses lèvres, son regard rivé au sien.

— Veux-tu m'épouser ? demanda-t-il. Une nouvelle fois ?

Kyla comprit qu'il avait tout orchestré. Et cela uniquement dans le but de lui faire plaisir.

Un vrai mariage. Non pas des vœux échangés à la diable dans une antichambre, mais une cérémonie festive, devant sa famille et ses amis – qui étaient désormais aussi les siens.

— Oui, je le veux, dit-elle.

Marla vint à leur rencontre, Elysia sur ses talons. Toutes deux portaient des couronnes de fleurs dans les cheveux. La fillette en apportait une autre pour Kyla : des fleurs blanches et mauves entrelacées avec des feuilles de lierre vert foncé. Kyla s'agenouilla devant Elysia afin que celle-ci puisse la placer sur sa tête. Elle penchait un peu de côté, mais Roland la remit bien droite.

Puis Marla et Elysia retournèrent parmi les invités, pendant que Roland conduisait Kyla à l'intérieur du cercle que formait maintenant la foule, et où les attendait Harrick.

Ce fut un moment magique. Les mariés répétèrent les formules que prononçait Harrick, destinées à les unir devant Dieu et devant les hommes. Une petite brise agréable colporta leurs paroles qui résonnèrent jusque dans la forêt et en bordure de l'océan.

Les vœux échangés, Roland prit le visage de la jeune femme dans ses mains et effleura ses lèvres d'un baiser. Une pluie de pétales de fleurs de toutes les couleurs s'abattit alors sur eux, tandis qu'une nouvelle clameur joyeuse montait de l'assemblée.

Kyla, sur un nuage, reçut les félicitations de chacun. Puis quelqu'un lui tendit un gobelet de vin, identique à celui que tenait déjà Roland. Les mariés entrelacèrent leurs bras et burent chacun dans la coupe de l'autre, la lumière du soleil dansant dans leurs yeux. La couronne de Kyla faillit tomber quand elle renversa la tête pour boire, mais Roland la rattrapa à temps, sous les rires et les applaudissements de la foule.

Le banquet fut une réussite : la nourriture était délicieuse, le vin et la bière coulaient à flots, et les toasts s'enchaînaient joyeusement.

Roland avait gardé dans les cheveux quelques-uns des pétales tombés en pluie sur leurs têtes. Cela lui donnait un air de prince de conte de fées, ou de demi-dieu égaré chez les mortels.

— Je t'aime, dit-il.

— Moi aussi, je t'aime, lui répondit Kyla avec un sourire.

En milieu d'après-midi, tout le monde rentra au château. Mais l'humeur était toujours à la fête, et beaucoup s'installèrent dans la grande salle avec les musiciens, tandis qu'on rapportait les bancs et les tables.

Roland et Kyla restèrent encore quelque temps au milieu de la foule, puis il se tourna vers elle :

— Milady, que diriez-vous de me rejoindre à l'étage ?

L'invitation était limpide, et confirmée par le regard de braise de Roland.

Mais avant que Kyla ait pu répondre, Duncan s'approcha de son chef. Il avait l'air soucieux.

— J'ai à vous parler, milord, dit-il.

Roland comprit aussitôt qu'il s'était passé quelque chose. En un éclair, Kyla assista à sa transformation : le mari amoureux redevint un farouche guerrier. Il étreignit l'épaule de la jeune femme et s'éloigna avec son capitaine.

Les deux hommes s'isolèrent dans un coin. En les voyant converser, la mine grave, Kyla s'alarma à son tour. Elle n'était pas la seule : le brouhaha de la salle était brusquement retombé, remplacé par un murmure inquiet. Chacun se demandait ce que pouvaient bien se dire Roland et Duncan.

À un moment, Roland tourna la tête vers Kyla, avant de reporter son attention sur Duncan et de lancer :

— Rassemble tes hommes. Nous partons tout de suite.

Duncan acquiesça et quitta la salle. Roland retourna alors auprès de Kyla, et il l'entraîna vers la table où étaient assis Marla, Harrick et Elysia. Tous étaient suspendus à ses lèvres.

Roland s'assit juste au bord du banc, comme s'il voulait être prêt à se relever dans l'instant.

— Kyla, commença-t-il, te souviens-tu d'avoir entendu parler d'une lettre en relation avec la mort de ta mère ?

— Une lettre ? Non... Attends ! C'est toi qui m'avais parlé d'une lettre, Roland. Rappelle-toi : tu m'avais adressé un message dans lequel tu disais posséder une lettre susceptible d'innocenter mon père. C'est de celle-là que tu veux parler ?

En réalité, Kyla avait deviné qu'il avait autre chose à l'esprit. Elle ne fut donc pas surprise de le voir secouer la tête. Mais un mauvais pressentiment la gagnait.

— Non, dit-il. Je te parle d'une vraie lettre. N'es-tu pas au courant de son existence ?

Ce fut au tour de Kyla de secouer la tête.

— Que se passe-t-il ? s'enquit Marla.

Roland se releva.

— Je l'ignore. Mais je ne vais pas tarder à le découvrir. L'un de mes hommes, à Londres, nous a envoyé un message urgent. Il dit ne vouloir parler qu'à moi seul, mais il n'est pas encore arrivé sur l'île et il a envoyé quelqu'un en éclaireur.

Il regarda autour de lui. La plupart des soldats avaient déjà quitté la salle, laissant leurs gobelets de vin derrière eux.

Kyla voulut le retenir par la manche.

— N'y va pas...

Mais elle se reprocha aussitôt ses paroles.

Il se tourna vers elle :

— Je suis désolé, chérie. Ce n'est pas ainsi que j'imaginais notre nuit de noces, tu peux me croire. Mais je dois y aller. Je ne serai pas long, rassure-toi. Et je vais faire rappeler tes gardes.

Il se pencha pour l'embrasser furtivement.

— Je ne serai pas long, répéta-t-il, avant de tourner les talons.

Kyla avait les yeux fixés sur son dos. Les autres aussi le regardaient quitter la salle.

— Ne vous inquiétez pas, lui murmura Marla.

Son ton, cependant, contredisait ses propos.

— Tout sera bientôt fini, assura Elysia.

Et elle mordit tranquillement dans un morceau de pain.

Après le départ de Roland, Kyla perdit l'envie de festoyer. Elle était en proie à une angoisse qu'elle ne pouvait s'expliquer. Marla, qui voulait partir herboriser sur les chemins, lui proposa de l'accompagner, mais Kyla déclina l'invitation, devinant qu'elle serait de très mauvaise compagnie.

— Je crois que je vais plutôt monter me reposer dans ma chambre, annonça-t-elle.

— Excellente idée, approuva Harrick. Roland sera revenu avant votre réveil.

Elysia ne dit rien, mais elle serra très fort Kyla dans ses petits bras. Puis, se repérant à tâtons en faisant glisser ses doigts sur la ceinture de la jeune femme, elle effleura la poignée de la dague.

Kyla, interloquée, suivit des yeux la fillette d'un air songeur tandis qu'elle était reconduite, avec les autres enfants, dans la nursery.

— Voulez-vous que je vous escorte jusqu'à votre chambre, milady? proposa Harrick.

— Non, merci.

— Hélas, j'ai bien peur d'être obligé d'insister, milady, répliqua Harrick, prenant son bras d'autorité. Votre mari ne me pardonnerait pas un tel manquement. Il est très à cheval sur les principes de la galanterie, vous savez.

— Vraiment? fit Kyla, à qui n'avait pas échappé la lueur d'amusement dans les yeux du moine.

Elle devina que Harrick avait reçu mission de remplacer Thomas et Berthold en attendant leur retour.

La jeune femme trouva sa chambre parfaitement en ordre. Le lit et le ménage avaient été faits, tout était rangé, si bien qu'on aurait pu croire qu'il ne s'était rien passé la nuit dernière.

Kyla posa la couronne de fleurs sur le coffre à vêtements et s'allongea, serrant l'oreiller de

Roland dans ses bras pour se repaître de son odeur.

Mais elle n'était pas fatiguée, et n'avait aucune envie de dormir. Rester ici, dans le silence, n'était peut-être pas une si bonne idée, réalisa-t-elle brusquement. Elle risquait de s'angoisser. Mieux valait prendre l'air et elle regrettait, à présent, d'avoir décliné trop rapidement l'invitation de Marla. Mais quelqu'un devait savoir où elle avait l'habitude d'herboriser. Il n'était sans doute pas trop tard pour la rejoindre.

En ouvrant sa porte, elle fut surprise de ne pas trouver ses gardes. N'avaient-ils pas encore reçu l'ordre de Roland de reprendre leur faction ? Mais peut-être y avait-il eu un changement de dernière minute : Thomas et Berthold avaient accompagné Roland sur la côte, et d'autres viendraient les remplacer. De toute façon, c'était sans importance. Kyla demanderait à un domestique d'informer ses gardes, quels qu'ils soient, de l'endroit où elle était allée.

Dans la cour, elle tomba sur Meg, sa chambrière, et lui demanda si elle savait où Marla pouvait se trouver. La soubrette réfléchit, avant de répondre qu'elle s'était probablement rendue dans la clairière près des marais. Et, devant l'air interloqué de Kyla, elle proposa :

— Je peux vous y conduire, si vous voulez.

— Oui, volontiers.

Meg lui fit passer la grille du château et l'entraîna sur un sentier. Kyla regardait droit devant elle, fouillant l'horizon des yeux sans bien savoir pourquoi. Elle réalisa qu'elle avait oublié de dire où elle allait avant de s'absenter, mais jugea qu'au fond ce n'était pas grave. Une fois qu'elle aurait

trouvé Marla, Meg rentrerait au château et trans-
mettrait l'information à Thomas et Berthold – ou
leurs remplaçants.

Elles suivaient un sentier qui les entraînait dans
la forêt. Tout à coup, une voix dans leur dos
appela :

— Milady ! Milady !

Les deux femmes se retournèrent d'un même
mouvement. Un homme accourait en faisant de
grands signes.

— Milady ! appela-t-il encore, avant de ralentir
en constatant qu'elles s'étaient arrêtées pour l'attendre.

Il était grand, avec un début de calvitie, et ses
traits étaient vaguement familiers à Kyla, bien
qu'elle ne pût le replacer dans sa mémoire. Quoi
qu'il en soit, il n'avait pas les cheveux châtains.

— Oui ? s'enquit-elle poliment quand il fut par-
venu à leur hauteur.

— Milady, dit-il, la respiration haletante. J'ai un
message pour vous, de la part de milord.

— Un message ? répéta Kyla, dont le pouls s'était
emballé.

— Il veut que vous le rejoigniez sur la côte, et
je dois vous y escorter.

— Seulement vous ? s'étonna Kyla, regardant
autour d'elle.

— Vos gardes vous attendent là-bas. Je m'appelle
Titus, milady. Et je suis sous les ordres de Duncan.

Kyla était persuadée d'avoir déjà vu cet homme,
mais elle n'arrivait toujours pas à se remémorer les
détails. Il paraissait inoffensif, avec son sourire
réservé.

Meg ne disait rien. Titus attendait. Kyla décida
de le suivre.

— Par ici, milady, dit-il, les entraînant dans une nouvelle direction.

— L'embarcadère n'est-il pas de l'autre côté ?

— Nous avons deux embarcadères, milady, répliqua Titus. Nous allons au deuxième, le plus petit.

Kyla interrogea Meg du regard. Elle avait l'air un peu perplexe, mais elle hocha la tête.

Ils traversèrent une prairie d'herbe grasse parsemée de petites fleurs. Le murmure de l'océan enflait et le vent du large soulevait les jupes de Kyla.

Ils atteignirent une falaise, qui plongeait directement dans la mer. Longeant la falaise, un autre sentier descendait vers le rivage. Et un petit bateau se balançait mollement sur les flots. Un homme était assis dedans, qui leur adressa des signes. Titus lui répondit par de grands gestes. Kyla ne remarqua personne d'autre alentour.

Meg avait ralenti le pas.

— Par ici, dit Titus, qui s'impatientait.

— Où est mon mari ? demanda Kyla.

— Sur la côte, milady. Comme je vous l'ai déjà expliqué.

Kyla s'arrêta net.

— Je ne le vois pas.

— Oh non, pas ce rivage-ci, milady. Pardonnez-moi, je me suis mal exprimé. Votre mari vous attend de l'autre côté, en Angleterre.

— En Angleterre ? répéta Meg, incrédule. Mais ce n'est pas l'embarcadère pour se rendre en Angleterre ! Les courants, ici, ne…

Meg s'interrompit brutalement en voyant la colère déformer les traits de Titus. Mais l'instant d'après, il avait repris son visage affable. Trop affable.

Kyla se tourna vers Meg et lui prit la main :

— Fuyons ! cria-t-elle.

De sa main libre, elle releva ses jupes et s'élança sur le sentier qu'ils venaient d'emprunter, tirant Meg derrière elle.

Au début, cela parut réussir. Kyla avait l'impression d'avaler la distance les séparant du château, et sa chambrière suivait son train d'enfer. Le vent, les poussant dans le dos, était devenu leur allié.

Mais il était aussi l'allié de leur poursuivant.

Tout à coup, Kyla sentit qu'on tirait violemment sur son bras, la déséquilibrant. Elle se retourna : Meg avait été séparée d'elle et roulait à terre en poussant un cri.

— Lady Kyla ! hurla leur assaillant. Arrêtez-vous, ou je la tue !

Kyla avait recouvré son équilibre et courait toujours. Mais un nouveau regard derrière elle la terrifia : Titus s'était abattu sur Meg, la tenant par les cheveux, et il pointait la lame d'un poignard sur sa gorge.

Kyla s'arrêta et fit demi-tour. Meg haletait bruyamment.

— Bravo, sage décision, lança Titus, qui avait retrouvé le sourire.

Kyla était toujours incapable de le situer, pourtant elle avait l'impression de l'avoir croisé dans un autre décor, et avec d'autres habits. Au lieu d'être vêtu en soldat, il portait de beaux atours, du velours, des plumes à son chapeau… mais la vision s'évanouit aussi furtivement qu'elle était apparue.

— Lâchez-la, dit-elle, désignant Meg.

— Approchez-vous encore, répliqua-t-il.

Elle obéit. Elle était maintenant si près de son adversaire qu'ils savaient tous les deux qu'elle n'aurait pas d'autre chance de s'enfuir.

— Relâchez-la, à présent. Ce n'est pas après elle que vous en avez.

Titus lâcha Meg.

— Vous avez raison, dit-il, saisissant le bras de Kyla et le tordant derrière son dos. C'est après vous que j'en ai.

Il la poussa vers la falaise, puis sur le sentier qui descendait jusqu'au rivage, où son comparse attendait sur le bateau. Kyla le reconnut : c'était l'homme aux cheveux châtains.

Ce dernier la saisit par la taille pour la faire monter à bord. Elle ne put lui opposer aucune résistance : Titus lui tordait toujours le bras dans le dos, lui causant une douleur qu'elle se refusait à montrer.

Puis elle fut contrainte de s'allonger sur le plancher du bateau, Titus la maintenant avec son pied.

— Vas-y, rame ! ordonna-t-il à son comparse.

Kyla sentit que le bateau s'éloignait du rivage.

Durant de longues minutes, la jeune femme n'entendit rien d'autre que la respiration laborieuse de ses deux ravisseurs. Titus, sans doute parce qu'il avait couru pour la rattraper, et l'autre homme parce qu'il manœuvrait les rames. Des vagues venaient régulièrement s'écraser contre les flancs du bateau, envoyant des gerbes d'écume qui éclaboussaient sa robe et commençaient à la glacer jusqu'aux os.

Son bras droit était coincé sous elle, si bien que ses doigts se trouvaient à quelques centimètres de sa dague – Titus, manifestement, ne l'avait pas remarquée, dissimulée dans les plis de sa robe. Discrètement, elle approcha sa main de l'arme.

— On peut dire que vous m'aurez donné du fil à retordre, milady, dit soudain Titus. Voilà un moment que je vous pourchassais.

La main de Kyla se figea.

— D'abord à travers l'Angleterre, puis jusqu'au fond de l'Écosse, ensuite de nouveau en Angleterre et à présent ici ! Si seulement vous ne vous étiez pas laissé capturer par Strathmore, nous aurions pu nous rencontrer plus tôt.

La tirant par les épaules, il l'obligea à s'asseoir. Kyla ferma les yeux pour se protéger de la lumière aveuglante du soleil. Mais Titus lui souleva le menton, et elle rouvrit les paupières.

— Si seulement… répéta-t-il avec un soupir.

Et son geste se transforma en une sorte de caresse dérisoire.

Kyla bascula la tête en arrière pour libérer son menton.

— Vous êtes bien naïf, si vous pensez qu'on ne se lancera pas à votre poursuite. Cette île regorge de soldats aguerris.

Titus sourit joyeusement.

— Heureusement pour moi, je ne suis pas naïf, milady. Je sais que Lorlreau est bien défendue. Mais comme j'ai pris la liberté d'intercepter le message adressé par votre mari à vos gardes du corps, il leur faudra un certain temps pour s'apercevoir de votre disparition. D'ici là, nous serons loin. Et je ne saurais assez remercier Strathmore d'avoir organisé ce petit mariage en plein air. La soudaineté de l'événement a désorganisé le personnel du château. Personne ne s'étonnera de ne plus vous voir. Au moins jusqu'à ce soir.

Le bateau heurta de plein fouet une vague plus violente, et Kyla fut projetée contre le flanc de l'embarcation. Titus fit semblant de s'apitoyer sur son sort.

— Pardonnez mes méthodes un peu brutales, milady, mais j'avais besoin de vous parler en privé, à l'écart de votre encombrant mari. Notre point de rendez-vous n'est plus très loin. Du reste, vous connaissez l'endroit. Et vous y avez même rencontré mon compagnon, l'autre jour.

Il désigna le rameur, qui évita le regard de la jeune femme, et enchaîna :

— Il était occupé à envoyer des signaux à notre complice, sur l'île d'en face. Je suis sûr que Victor est désolé de vous avoir frappée un peu fort. N'est-ce pas, Victor ?

Le dénommé Victor les ignora totalement. Il paraissait se donner beaucoup de mal avec les rames.

— Je l'ai sermonné, bien entendu. Il ne voulait pas vous noyer, juste vous assommer. Et puis la vigie est arrivée... Ivan était bouleversé par ce qui vous était arrivé. Il vous trouvait très sympathique.

— Ivan, c'était celui aux cheveux noirs ? devina Kyla.

Titus leva les yeux au ciel.

— Il avait le cœur trop sensible, hélas. Il ne supportait pas l'idée qu'on puisse s'en prendre à un seul cheveu de votre tête. Pourtant, ce n'est pas après votre tête que j'en ai.

— Vous l'avez tué, murmura Kyla, et ce n'était pas une question mais un constat.

— Je n'ai pas eu le choix. Il voulait tout avouer à Strathmore et réclamer son pardon. Je crois...

(Il éclata de rire.) Je crois qu'il était tombé amoureux de vous, milady.

Kyla l'écoutait attentivement. Elle avait le sentiment que les pièces du puzzle se mettaient en place.

— Je pense savoir qui vous êtes, dit-elle.

— Vraiment ? Bravo ! Je me demandais à quel moment vous finiriez par me reconnaître.

— Baron Caxton, lâcha-t-elle, crachant presque ce nom.

Jared Caxton. Elle l'avait aperçu plusieurs fois à la cour, quelques années plus tôt. Il ne fréquentait pas ses parents, mais Kyla avait entendu des rumeurs l'associant à lady Élisabeth. Ils auraient été amants.

Il inclina poliment la tête, amusé.

— À votre service, milady. Enfin, c'est une façon de parler. Car c'est plutôt vous qui êtes présentement à mon service.

— Que voulez-vous ?

— Milord ! intervint Victor. Le courant...

Il éprouvait de toute évidence les plus grandes difficultés à maîtriser leur embarcation au milieu des vagues toujours plus violentes.

— Bon sang, imbécile ! Essaie de redresser la barre !

— J'essaie, milord !

Kyla regarda par-dessus le bastingage. Le bateau était entraîné de plus en plus rapidement vers l'anse des Sirènes, comme s'il était aspiré par l'étroit chenal que surplombaient les deux grands rochers aux formes évocatrices.

Caxton poussa son complice vers Kyla :

— Occupe-toi d'elle ! Je prends les rames.

Victor s'affala à côté de la jeune femme. Elle l'ignora, le regard rivé sur la côte qui approchait.

— Vous n'y arriverez pas, affirma-t-elle.

— Fermez-la! siffla Caxton, déjà essoufflé par ses manœuvres désespérées pour diriger le bateau à l'écart des rochers.

— Nous allons nous écraser, poursuivit Kyla. Notre sort ne sera pas différent des autres bateaux qui ont fait naufrage ici.

— Regardez! s'écria Victor en désignant les rochers. Regardez!

Kyla leva les yeux et ne vit toujours que des rochers, de plus en plus impressionnants à mesure qu'ils approchaient.

— Elles sont si belles! s'exclama Victor, comme hypnotisé. Et elles nous réclament. Elles *me* réclament!

Il se dressa sur ses jambes, faisant basculer dangereusement l'embarcation déjà malmenée par les flots.

Caxton avait cessé de ramer et regardait lui aussi, fasciné, les rochers.

Kyla, agrippée au rebord du bateau, entendit tout à coup les mêmes voix qui l'avaient intriguée lors de sa première visite à l'anse des Sirènes. Des voix féminines. Qui semblaient rire...

Les rochers se rapprochaient toujours davantage. La jeune femme se redressa d'un bond et sauta du bateau.

Juste à l'instant de toucher l'eau, elle perçut un terrible craquement – sans doute le bateau venait-il de heurter un rocher – suivi d'un cri d'effroi.

Puis elle se retrouva submergée par les flots. Ses jupes l'entraînaient vers le fond. L'eau était sombre, glacée. Kyla avait beau lutter pour tenter de refaire surface, elle n'avait aucune prise sur l'océan déchaîné. C'était sans espoir. Elle allait mourir ici, dans cette anse des Sirènes meurtrière, et ainsi s'achèverait ce qui avait débuté comme le plus beau jour de sa vie.

Mais, brusquement, sa tête émergea un instant à l'air libre, et elle put reprendre sa respiration, agitant les bras et les jambes dans une tentative désespérée de demeurer à flot. En réalité, ses mouvements étaient inutiles. Elle était entraînée par le courant, et tout ce qu'elle put faire fut d'essayer de garder le plus souvent possible la tête hors de l'eau, tandis qu'elle franchissait la barrière de rochers et se trouvait précipitée à l'intérieur de l'anse, où elle risquait de s'écraser contre un obstacle – rocher ou vestige de navire.

Puis quelqu'un s'élança à son secours. Elle sentit que deux bras puissants la tiraient hors de l'eau pour l'entraîner vers le rivage.

C'était un jeune homme. Son visage était inconnu à Kyla. Il la portait dans ses bras, la scrutant avec inquiétude.

— Comtesse ? Comtesse ?

La vigie ! C'était forcément la vigie. Elle voulut lui saisir le bras et l'avertir du danger, le mettre en garde contre ses ravisseurs. Mais il la déposait déjà sur le sable, son regard tourné vers l'océan.

— Je reviens, dit-il, s'élançant en direction des flots.

Non ! voulut lui crier Kyla, mais rien d'autre ne sortit de sa gorge qu'une toux étranglée. Quand elle eut repris son souffle, elle constata que le jeune homme ramenait Caxton sur la plage, le baron s'appuyant sur son épaule pour marcher.

Kyla se redressa sur ses genoux, voulut encore crier, mais au même instant Caxton, avec un sourire cruel, dégaina son poignard et le planta dans le dos de la vigie.

Le garçon tomba, ahuri. Caxton récupéra sa dague et se tourna vers Kyla.

La jeune femme se releva tant bien que mal. Elle vacillait sur ses jambes.

Caxton marchait droit sur elle.

16

Kyla rassembla ses dernières forces pour gravir le sentier qui grimpait à l'assaut de la falaise et menait à la tour. Mais Caxton, bien sûr, l'avait prise en chasse.

Ses jupes trempées collaient à ses jambes et alourdissaient sa course, lui faisant perdre un temps précieux que son adversaire mettait à profit pour gagner du terrain. Elle trébucha contre une pierre et s'affala à moitié, mais elle réussit à repartir, la frayeur et la rage lui donnant des ailes.

Finalement, elle parvint au sommet. Le vent, ici, soufflait plus fort, agitant ses jupes. Elle chercha des yeux un refuge, mais il n'y avait que la tour. Kyla se précipita vers la porte. Le vent l'avait ouverte et la jeune femme s'engouffra dans les entrailles du bâtiment.

Un cheval, debout au milieu d'une pièce toute ronde épousant les contours de la construction, et qui mâchouillait du foin, la regarda avec des yeux étonnés. Kyla devina qu'il appartenait à la vigie. Elle songea un instant à le détacher pour s'enfuir avec, mais c'était trop tard : Caxton approchait de la porte.

Le reste de la pièce était vide, excepté un escalier en spirale menant au toit. Kyla s'y précipita.

— Lady Kyla! s'exclama Caxton, amusé. Croyez-vous vraiment pouvoir m'échapper?

Les marches étaient hautes. Kyla s'essoufflait rapidement. Et Caxton la poursuivait toujours, en riant presque.

La jeune femme gravit les dernières marches quasiment à quatre pattes. Elle souleva la trappe qui permettait d'accéder au toit. Le vent, heureusement, lui vint en aide : dès qu'elle eut entrouvert le battant, une bourrasque le lui arracha des mains pour le plaquer sur le toit, libérant un passage par lequel elle s'engouffra.

Le toit se réduisait à un plancher de pierre, entouré d'un cercle crénelé. Kyla voulut refermer la trappe avant que Caxton ne puisse grimper à son tour, mais le vent lui opposait une solide résistance, et déjà le baron agrippait le rebord. Puis son visage apparut. Il souriait toujours.

Kyla lâcha la trappe et recula, cherchant désespérément du regard quelque chose pour se défendre.

Mais il n'y avait rien. Sinon sa dague.

Elle la sortit de son fourreau et la brandit devant elle. Le vent agitait furieusement ses cheveux, balançant des mèches devant ses yeux.

Caxton s'immobilisa.

— Ma chère… commença-t-il.

— Que voulez-vous? le coupa Kyla, qui le menaçait avec sa dague.

Il regardait l'arme d'un œil méfiant.

— À votre avis? répliqua-t-il. Je veux la lettre, bien sûr. Que pourrais-je désirer d'autre?

Il avança d'un pas. Kyla recula d'autant.

— Il n'y a pas de lettre. C'était une ruse, inventée par lord Strathmore, pour me tendre un piège.

Caxton, pour la première fois, parut hésiter. Il semblait sincèrement dérouté.

— Mais si! Cette lettre existe. Ne croyez pas me berner avec un mensonge aussi grossier.

— Il n'y a pas de lettre!

Il avança d'un autre pas.

— Bien sûr que si. Je l'ai moi-même signée, ma chère. Oh, je ne m'en vante pas. Je l'ai signée sous la contrainte. Elle est en votre possession, désormais. Et j'ai besoin de la récupérer. C'est aussi simple que cela.

Kyla jeta furtivement un coup d'œil derrière elle. Il l'obligeait à reculer vers le rebord crénelé. Si elle le laissait continuer, elle se retrouverait bientôt acculée.

— J'ignore de quoi vous parlez! cria-t-elle, pour couvrir le bruit du vent.

— Ne dites pas de sottises, objecta Caxton.

Parfaitement calme, il brandissait son poignard, beaucoup plus imposant que la dague de Kyla.

— Vos mensonges ne vous seront d'aucune utilité, ajouta-t-il. J'ai fouillé Rosemead. J'ai fouillé votre château en Écosse. J'ai fouillé Lorlmar. Elle n'était nulle part. J'en déduis que vous la conservez sur vous. Et vous savez très bien ce dont il s'agit. De la lettre que vous a remise votre mère avant de mourir. Rendez-la-moi, et je vous laisserai la vie sauve.

— Ma mère? répéta Kyla, incrédule et choquée.

Caxton profita de son désarroi. Il se rua sur elle. Kyla réussit à l'esquiver au dernier moment, et en même temps qu'elle sautait de côté, elle lui assena un coup avec sa dague.

Elle l'avait atteint à la main. Il hurla de fureur et de douleur mêlées, mais repartait déjà à l'attaque. Kyla l'esquiva encore, et cette fois il s'était précipité avec trop de force : il atterrit sur le rebord crénelé et, emporté par son élan, passa par-dessus.

Il émit un cri déchirant, mais il avait réussi à se rattraper de justesse : Kyla ne voyait plus de lui que ses deux mains agrippées au rebord.

— Lady Kyla !

Elle s'approcha, brandissant toujours sa dague.

Les jambes de Caxton pendaient dans le vide. Et sous ses pieds, trente mètres plus bas, les vagues venaient se briser furieusement sur les rochers de l'anse des Sirènes.

La jeune femme se pencha par-dessus le rebord, mais à bonne distance du baron, pour éviter qu'il ne cherche à l'entraîner dans sa chute.

— C'est vous, n'est-ce pas ? C'est vous qui avez tué ma mère ?

— Non ! se défendit Caxton.

— Si, c'est vous ! gronda-t-elle.

— C'était un accident !

L'une de ses mains, celle que Kyla avait entaillée avec sa dague, glissa de quelques centimètres. Il eut un sursaut pour reprendre sa prise.

— Je ne l'avais pas prémédité ! ajouta-t-il.

Kyla ne répondit rien. Elle serrait sa dague entre ses doigts. Caxton, tout à coup, vida son sac :

— Ce jour-là, elle avait tenté de persuader Élisabeth de me quitter ! Élisabeth était trop faible. Elle écoutait Hélaine depuis trop longtemps. Elle était prête à l'écouter encore une fois, et à m'abandonner ! Mais Élisabeth savait que je chercherais à me venger. Alors elle m'a dérobé cette lettre, dont elle connaissait la cachette, et elle l'a confiée à Hélaine –

pour assurer sa protection, disait-elle. J'avais enfin réussi à soustraire cette maudite lettre à Gloushire, et voilà que cette imbécile la donnait à la meilleure amie de Gloushire !

— Ma mère, murmura Kyla.

— Je… J'avais absolument besoin de récupérer cette lettre.

Kyla se pencha un peu plus.

— Que contenait-elle au juste, cette fameuse lettre ?

Caxton ne répondit pas. Il regardait de droite et de gauche, cherchant son salut. Mais il n'y en avait aucun.

— C'était une reconnaissance de dette, n'est-ce pas ? devina Kyla. Vous deviez de l'argent à lord Gloushire.

Caxton transpirait abondamment. Les jointures de ses doigts avaient blanchi.

— Oui, oui, haleta-t-il. De l'argent. Je lui devais une petite fortune. Que je n'aurais jamais pu rembourser. Et il voulait le dire au roi !

— Et vous avez tué ma mère pour ça. Pour un morceau de papier.

— Essayez de comprendre ! Elle allait tout gâcher. Elle avait la lettre. Elle avait l'oreille d'Élisabeth. Sans cette lettre, Gloushire ne pouvait plus prouver que je lui devais quoi que ce soit. Mais Hélaine menaçait de porter elle-même la lettre à Henry !

L'une de ses mains glissa. Caxton hurla de frayeur, avant de se rétablir une nouvelle fois de justesse.

— Comment vous y êtes-vous pris ? questionna Kyla.

— Par Dieu, milady ! Aidez-moi à remonter !

— Dites-moi d'abord comment vous avez fait !

— Je… je l'ai frappée. C'était un accident, je le jure ! Nous nous sommes disputés, je l'ai frappée et malheureusement, elle est tombée sur le crâne. C'est ce qui l'a tuée. Ensuite, il fallait réagir. Élisabeth était devenue hystérique. J'ai tout organisé : tuer Gloushire, et mettre Hélaine dans son lit. C'était si simple ! Et tellement brillant ! Élisabeth m'a obéi, comme elle l'avait toujours fait. Elle était redevenue mienne. De toute façon, elle n'avait pas le choix, sinon elle risquait le même châtiment que moi. Tout aurait pu bien fonctionner…

— Oui, dit Kyla. Car vous aviez réussi à faire accuser mon père. Seulement, vous n'aviez pas pu remettre la main sur la lettre.

— Hélaine m'avait provoqué avec ça ! Elle prétendait que je ne devinerais jamais où elle l'avait cachée. Qu'elle était en de *bonnes* mains.

Une rafale de vent balaya la tour.

— Et vous en avez déduit que c'était moi qui la détenais ?

— Ce ne pouvait être que vous. S'il avait possédé la lettre, votre père n'aurait pas manqué de la confier au roi pour se disculper. Et d'après Élisabeth, vous étiez la seule autre personne en qui Hélaine avait toute confiance.

Oui, sa mère avait toujours eu confiance en elle. Kyla serra les dents pour ne pas se laisser submerger par le chagrin.

— Est-ce vous qui avez aussi tué Élisabeth ? demanda-t-elle d'une voix glaciale.

— Non ! Pas elle ! Élisabeth s'est suicidée. Je n'ai rien à voir avec sa mort.

— Rien à voir, vraiment ? Sauf que vous l'avez obligée à garder le secret sur le meurtre de sa

302

meilleure amie. Uniquement pour vous sauver. Ne croyez-vous pas qu'elle en ait souffert ?

Les doigts du baron, à présent, glissaient inexorablement sur la pierre.

— Milady, l'implora-t-il. Aidez-moi !

Kyla ferma un instant les yeux. Elle allait le faire. Contre toute logique, elle allait secourir l'assassin de sa mère. Tout simplement parce qu'elle ne voulait pas devenir elle-même une meurtrière.

Elle rouvrit les yeux et tendit le bras en direction de Caxton.

Quelqu'un, dans son dos, arrêta son geste et la tira en arrière. La seconde d'après, Caxton lâcha prise et tomba dans le vide.

Marla tenait solidement Kyla, et elle l'empêcha de regarder par-dessus le rebord.

— C'est fini, à présent, déclara-t-elle d'une voix ferme. Vous n'avez plus rien à craindre.

Kyla se retourna vers elle, les yeux écarquillés.

— J'herborisais tout près d'ici, expliqua Marla, répondant à sa question muette. Je vous ai vue gravir le sentier et courir jusqu'à la tour. Et j'ai vu ensuite cet homme qui vous poursuivait avec son poignard. Quand je suis arrivée, il était déjà suspendu dans le vide. Mais j'ai entendu tout ce qu'il a dit.

Kyla sentait comme un grand vide dans sa tête.

— C'est lui qui a tué ma mère.

— Je sais, murmura Marla. Et il méritait de mourir.

Kyla, peu à peu, sortait de son hébétude.

— La vigie ! s'exclama-t-elle. Le pauvre garçon est en bas sur la plage, blessé. Il faut lui venir en aide.

— Votre mari l'a déjà trouvé, l'informa Marla. On s'occupe de lui.

— Roland ? Roland est ici ?

Au même instant, elle l'entendit qui l'appelait. Il semblait terriblement inquiet.

Kyla courut vers la trappe.

— Je suis là ! En haut de la tour !

Deux secondes plus tard, Roland surgissait de la trappe comme un diable de sa boîte. Dès qu'il vit son épouse, il se précipita pour la serrer dans ses bras.

— Dieu soit loué ! Tu es saine et sauve !

Kyla s'accrochait à lui. Avec le contrecoup des événements, c'est à peine si elle tenait sur ses jambes.

Marla rejoignit la trappe, annonçant qu'elle voulait ausculter la vigie.

— Attendez ! la rappela Roland. Où est Caxton ?

Les deux femmes échangèrent un bref regard, et Marla répondit :

— Il est tombé sur les rochers, milord. C'était un accident.

Kyla ferma les yeux.

— Un accident ? répéta Roland.

— Oui, fit Marla.

Et elle disparut dans l'escalier.

Kyla rouvrit les yeux sur son mari :

— Comment as-tu su que tu devais venir ici ?

— La chance, répliqua-t-il avec un sourire.

— Ta bonne étoile, murmura Kyla.

Il posa un baiser sur ses lèvres, avant d'expliquer :

— En fait, ma bonne étoile a été aidée par ta chambrière. Elle rentrait en courant à Lorlmar quand nous y arrivions nous-mêmes. J'ai pu rencontrer mon messager, de l'autre côté de l'île. Il a découvert que le baron Caxton avait payé l'un des capitaines du roi, Reynard, pour s'enrôler dans ma troupe chargée de vous poursuivre, toi et ton père. C'est Reynard qui a ordonné l'attaque de Glencarson. J'en ai aussitôt déduit que Caxton était le mystérieux ennemi qui cherchait à te supprimer.

— Il a tué ma mère, murmura Kyla, une boule dans la gorge.

— Je sais, mon amour. Je sais, dit Roland, la serrant très fort dans ses bras. Reynard a été arrêté à Londres. Il a confessé tout ce qu'il savait. J'ai souffert mille morts lorsque ta chambrière nous a appris qu'un homme venait de te kidnapper. Je...

Sa voix mourut dans sa gorge. Kyla lui caressa les cheveux.

— Tout est fini. Et je n'ai pas été blessée.

— Je ne pourrais pas vivre sans toi, Kyla. Si tu étais morte, je serais mort également.

— Je t'aime, répondit-elle, et ces trois mots suffirent à ramener la sérénité dans ses yeux bleus.

La pâle lumière du chandelier se reflétait dans les pierres ornant le manche de la dague d'Hélaine et renvoyait des éclats multicolores sur les murs de la pièce.

Kyla, qui contemplait l'arme sur sa paume, leva les yeux vers Roland, puis Elysia.

— Allez-y, tante Kyla, dit la fillette, les coudes appuyés sur le bureau de Roland.

Marla, Seena et Harrick se tenaient un peu en retrait. Madoc s'approcha et posa un brasero à côté de Kyla.

— Vous y verrez plus clair ainsi.

Roland regardait la jeune femme et elle pouvait lire, dans ses yeux, qu'il brûlait de lui proposer de finir la tâche à sa place. Kyla lui sourit, mais secoua la tête.

Approchant l'arme de la lumière, elle distingua le minuscule loquet, presque invisible, positionné entre le manche et la lame. Elle voulut le presser avec son ongle, mais c'était encore trop gros.

Roland lui tendit son poignard, dont la lame était terriblement aiguisée.

Kyla appuya sa pointe sur le loquet, qui se libéra avec un clic à peine audible. Alors, le manche se désolidarisa de la lame. La jeune femme posa cette dernière sur le bureau et garda le manche en or dans sa main. C'était cette partie qui l'intéressait.

L'intérieur du manche était creux. Et ce creux n'était pas vide. Un papier était caché dedans. Il avait été si soigneusement plié, afin de pénétrer dans l'orifice exigu, que seuls ses contours avaient été légèrement affectés par le peu d'eau de mer qui avait réussi à s'infiltrer dans le manche. Kyla extirpa précautionneusement le document et le déplia sur le bureau. Tout le monde, dans la pièce, s'approcha pour regarder.

— La lettre qui prouve l'innocence de mon père, murmura Kyla. Elle existait, finalement. Et je la portais sur moi pratiquement depuis le début !

— Tu aurais pu toujours l'ignorer, remarqua Roland.

— En effet, acquiesça-t-elle avec un sourire triste.

Marla, à sa gauche, eut un sursaut en lisant le chiffre inscrit sur le parchemin.

— Qui pourrait emprunter une telle somme ? s'exclama-t-elle. Et qui pourrait la dépenser ?

— Un joueur invétéré. Et le cousin du roi. Dans cet ordre, répondit Roland. Caxton avait perdu l'intégralité de sa fortune au profit de Gloushire. Il avait déshonoré son nom. Quand Gloushire a exigé d'être payé, Caxton a paniqué.

— Et il a détruit toute ma famille, compléta Kyla. Juste pour de l'argent, soupira-t-elle avant de fermer les yeux, en proie à une soudaine lassitude.

Roland posa une main sur son épaule. Elysia se rapprocha pour appuyer sa tête sur le bras de la jeune femme.

— Non, pas *toute* votre famille, tante Kyla, rectifia la fillette.

La vigie se rétablissait lentement. Marla avait nettoyé sa blessure puis l'avait bandée, déclarant qu'il avait eu beaucoup de chance que la lame de Caxton ait épargné les poumons. Kyla et Roland avaient tenu à rendre visite au jeune homme chez lui, pour le remercier de sa bravoure. Au grand dam de ce dernier, sa mère, sa femme et ses trois sœurs avaient abreuvé les visiteurs du récit des autres exploits de leur bien-aimé. Kyla avait souri, amusée, et avait assuré qu'elle ne croyait pas à la moindre exagération de leur part.

Victor était mort. La mer avait fini par rendre son cadavre. Kyla n'avait pu trouver, dans son cœur, la moindre compassion pour lui.

Quant à Caxton... il avait bien sûr été retrouvé sur les rochers en contrebas de la tour. À l'instant de cette découverte, Roland s'était muré dans un silence rageur. Comme si les ténèbres environnant « l'Âme damnée » l'avaient rattrapé. Kyla s'était abstenue de réagir sur le coup. Elle savait qu'elle ne réussirait à l'apaiser qu'avec beaucoup de patience.

De retour à Lorlmar, il était monté s'enfermer dans leur chambre. La jeune femme l'y avait rejoint, et elle l'avait longuement serré dans ses bras, sans un mot.

Après plusieurs minutes, il avait triomphé de ses démons et avait fait l'amour à Kyla, les emportant tous les deux au paradis plutôt qu'en enfer.

Ce n'était que justice, lui avait-il dit plus tard, que Caxton soit mort en essayant de la tuer.

— Justice, avait répété Kyla, laissant le mot résonner dans la pièce.

À présent, elle regardait tous ces visages qui l'entouraient, ces gens qui l'aimaient et qui l'avaient adoptée au sein de leur clan.

Toutes les questions qui l'avaient hantée ces derniers mois étaient désormais résolues. Elle se sentait libérée de ses angoisses et de ses doutes. Lors de cette épreuve, Kyla avait même rencontré l'homme de sa vie et, avec lui, une nouvelle famille dans une nouvelle maison. Elle était consciente d'avoir été gâtée par le sort.

Certes, rien ne pourrait complètement abolir le passé. Mais déjà, quand elle repensait à son frère, son cœur se serrait un peu moins qu'auparavant. Son chagrin était en quelque sorte devenu de la résignation.

Sans doute ne se départirait-elle jamais d'une certaine tristesse chaque fois qu'elle évoquerait son ancienne vie, ses parents adorés. Mais elle pouvait se projeter vers l'avenir avec un cœur plus léger.

Car elle avait désormais un avenir. Et c'était déjà, en soi, un assez grand miracle pour qu'elle se sente éperdue de gratitude.

Elle tenait toujours la lettre dans sa main. Mais ce qui était écrit dessus ne lui importait plus.

— Tu la donneras à Henry, dit-elle à Roland. Il saura ainsi que j'avais raison à propos de mon père.

Roland se pencha vers elle et posa un baiser sur sa joue.

— Nous la lui donnerons ensemble, répondit-il.

Épilogue

Écosse, juillet 1120

L'été en Écosse était toujours un spectacle grandiose, et même les ruines du village de Glencarson perdaient un peu de leur tristesse, avec ce beau ciel bleu qui les surplombait et ces prairies verdoyantes, parsemées de fleurs multicolores, qui les environnaient.

Kyla s'agenouilla devant le monticule de pierres qu'elle avait elle-même dressé autrefois, et déposa tendrement les chardons rouges que lui tendait Roland.

— Repose en paix, Alister, dit-elle. Repose en paix.

Le bébé, dans les bras de Roland, gazouilla en entendant la voix de sa mère. La jeune femme leva la tête vers son mari et son fils, et leur sourit.

Roland lui retourna son sourire. Le turquoise de ses yeux trouvait son écho dans ceux de l'enfant.

Kyla se redressa et le prit dans ses bras. Il avait été baptisé en hommage à son frère.

— Alors, petit Alister, on se réveille ? Comme tu es adorable, mon chéri !

Puis, la main de son mari sur son épaule, la jeune femme tourna le dos à la tombe de son frère pour redescendre vers le village, ou ce qu'il en restait. Les ruines incendiées des anciennes maisons des villageois s'étaient peu à peu écroulées, leurs pierres se fondant à la terre grasse des Highlands.

Le squelette du manoir, en revanche, tenait encore debout. Ils franchirent ce qui avait été l'entrée principale, aujourd'hui réduite à un cadre de pierre ouvrant sur un immense espace envahi par les oiseaux et la végétation.

Roland déposa le sac de cuir qu'il portait. Les pièces d'or contenues dans le sac tintinnabulèrent.

— Ce ne sera jamais une vraie restitution, dit Kyla d'une voix bien forte, sachant qu'elle serait entendue. Mais c'est toujours mieux que rien.

Les collines, alentour, gardèrent leurs secrets. Personne ne surgit pour les accueillir, ni pour s'emparer de l'or. Mais Kyla savait qu'ils étaient là. Et qu'ils sortiraient de leurs cachettes après leur départ.

Une jeune fille les attendait un peu plus loin, sur la route, avec leurs montures.

— C'était ce qu'il fallait faire, approuva Elysia.

Kyla et Roland échangèrent un regard. Ils pensaient la même chose.

*Découvrez les prochaines nouveautés
de nos différentes collections J'ai lu pour elle*

**AVENTURES
&PASSIONS**

Le 1ᵉʳ juillet :
Auprès de toi, pour toujours ∞
Kathleen E. Woodiwiss (n°8999)

Lorsque son beau-père Vachel de Gérard se trouve ruiné, les prétendants qui se pressaient pour obtenir la main d'Abrielle d'Harrington se volatilisent, sauf Desmond de Marlé. Pour éviter la ruine à sa famille, Abrielle décide de se sacrifier et accepte de l'épouser. Mais le soir de leurs noces, Desmond se tue accidentellement. Elle est de nouveau riche et très courtisée. Raven Seabern, un jeune Écossais obtient sa main. Malheureusement, Abrielle s'est mise en tête que Raven, n'en veut qu'à sa fortune.

La loterie de l'amour ∞   Lisa Kleypas (n° 4915)

Chaque soir, le casino de Derek Craven draine les joueurs les plus acharnés de Londres et les plus fortunés. Né dans le ruisseau, élevé par des prostituées et des voleurs à la tire, il est à présent l'un des hommes les plus riches d'Angleterre. Et l'un des plus solitaires. Soudain, son regard accroche une silhouette féminine vêtue de velours bleu nuit. Du visage dissimulé par un masque, il n'aperçoit qu'une bouche pulpeuse. Lorsque l'inconnue s'approche de l'endroit où il se cache, Derek ne peut s'empêcher de tendre la main pour l'attirer vers lui...

Nuits blanches à Lansgton Manor ∞
Jacquie D'Alessandro (n° 9000)

Le marquis de Davenport n'a plus que quelques semaines pour se marier afin d'exaucer la dernière volonté de son père et sauver le domaine familial de la ruine. À 26 ans, Sarah est déjà une vieille fille. Le marquis sera immédiatement séduit par sa fraîcheur et sa spontanéité. Malheureusement, la famille de Sarah n'a pas d'argent. Il reste cependant un espoir : trouver le trésor enfoui dans le parc dont son père lui a parlé avant de mourir et qu'il cherche en vain depuis un an.

Nouveau ! **2** *rendez-vous mensuels
aux alentours du 1ᵉʳ et du 15 de chaque mois.*

Le 8 juillet :

Le trésor des Highlands—1. Une étourdissante épouse ∞ May McGoldrick (n° 8238)

John Stewart, comte d'Athol et farouche guerrier écossais, est furieux. Ses terres sont très souvent pillées et ses gens rançonnés par un ennemi insaisissable. Or sa propre mère lui avoue que ce mystérieux Adam des Glens est son frère bâtard qui estime avoir autant de droits que lui sur le domaine. S'il veut le contrer, John doit se marier et avoir un héritier. Ce sera donc Catherine Percy qui est venue se placer sous sa protection après avoir fui les sbires d'Henri VIII. Mais, contre toute attente, la jeune fille s'oppose à cette union. Elle n'a qu'une idée en tête : fonder une école ! Qu'importe, John entend la soumettre. Et quel meilleur moyen que de se glisser au plus vite dans sa couche ?

Secrets dévoilés—1. Le beau ténébreux ∞ Liz Carlyle (n° 8988)

Xanthia Neville est une femme libre, indépendante, à la tête d'une entreprise florissante. Lors d'une soirée à Londres, elle se laisse passionnément embrasser par le marquis de Nash, homme à la réputation sulfureuse. Pas question de le revoir ! Mais le gouvernement britannique demande à Xanthia d'enquêter sur un trafic d'armes auquel le marquis serait lié. La jeune femme se trouve prise au piège dans un dangereux jeu de séduction et d'intrigue.

Si vous aimez Aventures & Passions, laissez-vous tenter par :

Passion intense

Quand l'amour vous plonge dans un monde de sensualité

Le 1ᵉʳ juillet :

Tendres provocations ∞ Lori Foster, Erin McCarthy, Helenkay Dimon (n° 9001)

Trois nouvelles tendres et sensuelles.
– Quand il pénètre dans son cabinet de consultation Axel découvre que la patiente qui l'attend, toute nue sur la table d'examen, n'est autre que la jeune femme à laquelle il ne cesse de penser depuis qu'il l'a croisée.
– Violet a décidé d'avoir un bébé même si elle est célibataire. Sauvée de la noyade par Dylan, elle n'est pourtant pas femme à céder aux avances du premier venu. Son caractère farouche ne fera que renforcer le désir de Dylan.
– L'attitude revêche de Hannah éveille le désir de Whit qui s'arrange pour se retrouver avec elle dans une petite pièce secrète que son oncle avait aménagée au sous-sol de la maison… pendant quarante-huit heures.

Nouveau ! 1 rendez-vous mensuel aux alentours du 15 de chaque mois.

Le 8 juillet :

La libertine   ∞   **Bertrice Small (n° 5697)**

Qui pourrait imposer sa volonté à l'indomptable Jasmine de Marisco ? Elle va jusqu'à s'enfuir en France lorsque le roi lui ordonne d'épouser le comte de Glenrick. Une humiliation insupportable pour ce dernier qui se lance à sa poursuite. La guerre entre eux s'engage mais une irrésistible attirance les pousse l'un vers l'autre. Malheureusement, le roi a changé d'avis, et c'est l'un de ses favoris qu'il veut la voir épouser !

Et toujours la reine du roman sentimental :

Barbara
Cartland

Le 1ᵉʳ juillet :
L'ermite du château (n° 8998)

Le 8 juillet :
Les caprices de Malvina (n° 5099)

Nouveau ! 2 rendez-vous mensuels
aux alentours du 1ᵉʳ et du 15 de chaque mois.